bhagavad-gita
A MENSAGEM DO MESTRE

Vyāsa Dvaipāyana

bhagavad-gita
A MENSAGEM DO MESTRE

O clássico poema épico hindu que traz respostas
para as questões fundamentais da vida

Tradução, Introdução e Notas de
Francisco Valdomiro Lorenz

Editora
Pensamento
SÃO PAULO

sua verdadeira essência divina. Mas, como muitas dessas ilusões se lhe tornaram agradáveis, acha difícil combatê--las.

A seu lado, entretanto, tem valentes guerreiros: a sua Consciência, o Amor do Bem e da Verdade, a Obediência à Lei Suprema, a Fé, a Convicção etc.

Krishna, que lhe explica a verdadeira natureza humana e a sua relação com Deus, é o *Verbo de Deus, Logos* ou *Cristo* em nós, o nosso superior, imortal Ego Divino.

ॐ AUM[1]

bhagavad-gita

---
[1] Em nome de Deus! Palavra Sagrada entre os hindus, alusiva à Trindade Divina.

Capítulo I

O desânimo de Arjuna

> Neste capítulo se descreve o combate entre o "Bem" e o "Mal", que provém do rompimento da Unidade, tanto no Homem como na Natureza. O Homem, representado por Arjuna, acha-se rodeado de ilusões que pertencem à sua natureza inferior, mortal, e deve vencê-las; porém, como se acostumou a identificar-se com elas, falta-lhe o necessário animo.

Disse *Dhritarāshtra*[1], rei dos Kurus, falando com o fiel Samjaya:

1. "Conta-me, ó Samjaya, os feitos dos meus guerreiros e os do exército dos Pāndavas, quando se reuniram para se combaterem no sagrado campo dos Kurus".

---

1 Representante da Vida material (forças cegas).

Pôs-se a relatar *Samjaya*:

2. "Quando o teu filho *Duryodhana*[2], o comandante supremo dos teus exércitos, ó rei, avistou as falanges dos Pāndavas[3], preparadas para o combate, se aproximou do seu preceptor *Drona*, o filho de Bharadvāja, e disse:

3. Vê, ó Mestre, as poderosas multidões dos filhos de Pāndu, que constam de vastas fileiras de guerreiros experientes e audaciosos, comandadas pelo valente e sábio filho de Drupada, teu discípulo.

4. Vê como é grande o número daqueles combatentes fortes que ali estão em seus carros de guerra e com seus arcos e flechas. Há, entre eles, heróis iguais a Bhīma[4] e Arjuna[5].

5. Lá estão: Virāta, Yuyudhāna, Drupada, Dhrishtaketu, Cekitāna, o rei dos Kāshis, Purujit, Kuntibhoja, Shaibya.

6. Ali estão: o audaz Yudhamanyu, o forte Uttamaujas, o filho-de-Subhadrā e todos os filhos de Draupadī[6].

---

2 Dificilmente vencível; obstinação.
3 Os *Kurus* representam as forças inferiores da alma humana; os *Pāndavas* (ou filhos de *Pāndu*), as forças superiores.
4 *Bhīma* (terrível) é a vontade espiritual.
5 *Arjuna* é o homem em seu desenvolvimento.
6 Os heróis mencionados aqui e nos versículos seguintes representam forças intelectuais, inclinações, faculdades, paixões, artes e ciência. Os "carros" são os corpos pelos quais essas forças se manifestam no homem. As forças inferiores são servidoras do egoísmo e do instinto cego, ao passo que as superiores agem em harmonia com a Vontade Divina.

7. Porém, igualmente do nosso lado, sob o meu comando, encontras os melhores generais e heróis do nosso povo.

8. Aqui estás tu mesmo, e conosco se Vê Bhīshma, Karna, Kripa, Ashvatthāman, Vikarna, Somadatta.

9. Todos estes e muitos outros guerreiros fortes, valentes e experimentados, trazendo as suas armas favoritas, prontos estão para combater por nossa causa e, com entusiasmo, arriscarão a vida por mim.

10. Porém, ó Mestre, hei de confessar-te que este nosso exército, se bem que muito valente e comandado por Bhīshma[7], na minha opinião não tem o número e a força suficientes, enquanto em nossa frente está o inimigo, comandado por Bhīma, em posição ameaçadora, e muito mais forte.

11. Ordena, pois, aos capitães do meu exército que todos ocupem os seus lugares e que se preparem para auxiliar e defender o nosso comandante Bhīshma."

12. Soprou então Bhīshma, o velho chefe dos Kurus, em sua grande corneta e o seu toque soou como o rugido do leão, excitando a coragem e o ânimo de seus guerreiros.

13. E, em resposta, imediatamente se ouviu o som tumultuoso de inumeráveis outras cornetas e conchas, címbalos, tambores e trombetas, nas falanges dos Kurus.

---

7 *Bhīshma* (terror) é o egoísmo. O exército dos Kurus, isto é, as forças inferiores, têm por chefes o Egoísmo e a obstinação; o exército pāndava, isto é as forças espirituais, superiores, obedecem à vontade Divina.

14. Igualmente deram sinal bélico Krishna, a encarnação de Deus, e Arjuna, filho de Pāndu, que estavam em seu magnífico carro de guerra, ornado com ouro e pedras preciosas, e puxado por cavalos brancos[8]. E responderam os instrumentos dos Pāndavas em som repetido e desafiador, como o som de trovão violento.

15. A corneta que tocava Krishna, o dominador dos sentidos, fora feita de osso de gigante. O nome da corneta de Arjuna era Devadatta (dom de Deus).

16. O forte Bhīma tocava a corneta com o nome de Paundra (o Povo). Yudhishthira, filho de Kuntī, a "Vitória"; Nakula e Sahadeva tocavam a "Harmonia" e a "Glória."

17. Ouvia-se o toque dos famosos guerreiros Kāśya, Shikhandin, Dhrishtadyumna, Virāta, Sātyaki;

18. E de Drupada e seu povo, e dos filhos valentes de Subhadrā.

19. E vibrou o ar, como quando se prepara uma horrível tempestade, e a superfície da terra vibrou no mesmo ritmo. E o povo de Dhritarāshtra estremeceu aterrorizado.

20. Então *Arjuna*, em cuja cimeira figurava um macaco[9], vendo que os Kurus estavam já em ordem de batalha, e que as flechas começavam a voar pelos ares, tomou na mão o seu arco e disse a Krishna, que estava com ele no carro:

---

8 Branco é o símbolo da pureza; cavalo, o símbolo da força e da obediência.
9 Tomado como símbolo da audácia e engenho.

21. "Faze parar, ó Imutável, o nosso carro no meio do espaço entre estes dois exércitos opostos.

22. Quero ver de perto os que aqui estão reunidos com o desejo de nos matarem, e com os quais devo travar sangrento combate.

23. Deixa-me ver os meus inimigos, os partidários insensatos do malicioso e vingativo filho de Dhritarāshtra."

24. Quando Arjuna assim falou, Krishna fez parar o carro no meio do espaço entre os dois exércitos contrários[10].

25. Ali, em frente de Bhīshma, Drona e dos outros principais da terra, disse Krishna a Arjuna: "Vê, ó filho de Prithā, a família dos Kurus, ali reunida!."

26. E viu Arjuna que, divididos em dois partidos bélicos, ali estavam seus parentes: pais e filhos, irmão, cunhados, avós e netos, tios e sobrinhos, sogros e genros.

27. Notou também que mestres, benfeitores, amigos e camaradas ali estavam, preparados para se combaterem reciprocamente[11].

28. E quando Arjuna viu isso, entristeceu-se no seu nobre coração e, cheio de aflição e dó, proferiu estas palavras:

---

10 *Antaskarana*, a "ponte" ou o "caminho" entre as partes terrena e divina partes da mente.
11 Também as forças "inimigas" são nossos amigos e mestres, pois por meio delas é que alcançamos a experiência: elas são os degraus pelos quais o homem sobe até o conhecimento perfeito de si mesmo.

29. Ó Senhor, vendo eu as faces e os vultos dos parentes que querem lutar uns contra os outros, sinto exaustos de forças os meus membros e sem sangue o meu coração.

30. As minhas pernas tremem, os meus braços não me obedecem; a minha face está em agonia; a febre queima-me a pele; os pensamentos se confundem no meu cérebro; todo o meu corpo está em convulsões de horror; o arco cai das minhas mãos.

31. Maus sinais vejo nos ares, e estranhas vozes ouço falar ao redor de mim; estou todo confuso e indeciso. Não vejo nada de bom em matar em guerra os meus parentes e meus companheiros.

32. Não desejo a glória de vencedor, ó Krishna! Não aspiro nem ao reino nem aos prazeres, nem ao domínio; para que me serve o domínio, a riqueza ou a própria vida?

33. Todas estas coisas me parecem muito vãs e sem agrado, enquanto aqueles para quem tudo isso seria desejável desprezam a própria vida!

34. Tutores, pais e filhos, avós e netos, tios e sobrinhos, primos, cunhados, mestres e companheiros vejo perante mim: não quero matá-los, embora eles tenham sede do meu sangue.

35. Não quero matá-los, embora com isso obtivesse o reino dos três mundos, quanto mais pelo governo de um pedaço de terra!

36. Se eu matar os meus consanguíneos, os filhos de Dhritarāshtra, que felicidade ou gozo poderia me alegrar?! Se nós os derrotarmos, o remorso seria o nosso companheiro contínuo.

37. Penso que devemos abster-nos de matarmos os nossos parentes e consanguíneos; porque, como poderemos ser felizes, se exterminamos a nossa própria raça?

38. Não podemos desculpar-nos dizendo que eles são tão depravados e sedentos de sangue, que não veem mal algum em derramarem o sangue de seus parentes e amigos.

39. Tal argumento não nos justifica, porque nós sabemos melhor que a matança dos parentes é grande pecado e horror.

40. Tem-nos sido ensinado que, com o extermínio de uma geração, se destrói a virtude, e com a destruição da virtude e da religião de um povo, apoderam-se de toda a raça, o vício e a impiedade.

41. Onde reina a impiedade, corrompem-se também as mulheres nobres, e onde a mulher está corrompida, desaparece a pureza do sangue.

42. A adulteração do sangue é precursora do esquecimento dos ritos devidos aos antepassados, e estes (se as doutrinas do povo são verdadeiras)[12], sendo privados dos sacrifícios de que se sustentam, caem das alturas celestes.

---

12 A tradição, que prescrevia o respeito à família, aos parentes, aos instrutores, aos ritos, à instituição e deveres das castas, sem o que a alma cairia em condições piores, antes e depois da morte.

43. A consequência de tal corrupção é o aniquilamento dos destruidores da raça e dos direitos eternos da família.

44. Os homens que destroem a religião da família vão para o inferno. Assim nos ensinam nossos livros sagrados.

45. Ai de mim! Ai de nós, que nos estamos preparando para cometer o horrível crime matar os próprios parentes e consanguíneos pela bagatela de obter o domínio pelo desejo do poder!

46. Eu preferiria entregar o meu peito descoberto às armas dos Kurus, e deixá-los beber o sangue do meu coração. Eu preferiria esperar a sua chegada, desarmado, e receber deles o golpe mortal, sem me defender. De certo, isso seria melhor para mim do que cometer esse horrível crime! Ai de mim! Ai de nós todos!"

47. Assim clamando, sentou-se Arjuna no banco do carro e deixou cair o arco e as flechas da sua mão, todo entregue à aflição e ao desespero que lhe consumiam o coração.

Capítulo II

Samkhya-yoga — a verdadeira natureza do espírito

Neste capítulo se ensina como se pode, por meio da meditação filosófica, obter a verdadeira concepção do Universo, isto é, o conhecimento da nulidade e instabilidade de todas as formas que existem no mundo dos fenômenos, em contraste com o Ser Eterno, e como esse conhecimento nos conduz ao caminho da liberdade espiritual e da imortalidade.

Continua *Samjaya* a contar:

1. *Krishna*, cheio de amor, piedade e compaixão, disse a Arjuna, vendo a sua pungente tristeza e as lágrimas nos seus olhos:

2. "Donde te vem, ó Arjuna, essa pusilanimidade? Esta fraqueza, indigna de um homem, faz-te infeliz, pois te fecha as portas do céu[1].

3. Não te entregues a ela; sacode de ti essa cisma desprezível; levanta-te resoluto e bravo, ó vencedor de inimigos!"

Respondeu *Arjuna*:

4. "Ó meu caríssimo! como posso eu atacar e combater a Bhīshma e Drona, quando a ambos respeito e estimo?!

5. Seria melhor, para mim, comer o pão seco e sem sabor de mendigo, do que ser o instrumento de morte a estes nobres e respeitáveis homens, que foram meus preceptores e mestres! É verdade que eles são ávidos dos meus bens; mas como poderia eu gozar a riqueza e o poder, sobre os quais há manchas de sangue dos meus queridos?!

6. Não posso dizer se é melhor que nós os vençamos ou que eles nos vençam a nós. Mas sei que eu não desejaria viver nem um minuto mais, se visse morrer os meus parentes e amigos, os filhos do rei Dhritarāshtra e o povo de Kuru.

7. Compaixão e ânsia comprimem o meu coração, e a minha mente vacila diante do problema que se lhe apresenta. Não sei o que devo fazer. Dissipa tu, ó Krishna, estas

---
[1] O homem que está cheio de medo e dúvidas, afasta-se por si mesmo do céu da bem-aventurança, que é próprio à alma que conhece a verdade.

dúvidas; dize-me, qual é o meu dever. Eu sou teu discípulo: prostrado perante Ti, peço que me dês as instruções de que careço.

8. Tão confuso está o meu entendimento, que não posso descobrir nada que acalme a febre da minha mente; o meu interior está em fogo que seca as minhas faculdades. Ainda que eu ganhasse um reino na terra, cujo brilho excedesse a todos os outros reinos como o sol excede às estrelas, ou conseguisse o poder dos deuses e o domínio sobre os exércitos celestes, minha aflição não diminuiria. Não, eu não quero combater."

Continua *Samjaya*:

9. Depois de ter falado assim ao Senhor da Criação, Arjuna caiu em silêncio.

10. Então Krishna, sorrindo ternamente, dirigiu ao desanimado as seguintes palavras, achando-se ambos no meio do espaço entre os dois exércitos:

Palavras do Verbo Divino[2]

11. "Sem necessidade te entristeces e afliges; contudo, as tuas palavras têm grãos de verdade. Elas exprimem a sabedoria do mundo exterior (exotérica), mas não satisfazem à mente interior (esotericamente); são, pois, apenas a expressão de uma parte da verdade. Os sábios não se entristecem nem por causa dos vivos nem por causa dos mortos.

---

2   Krishna é o representante do Verbo Divino ou Logos (Cristo em nós).

12. Sabe, ó príncipe de Pāndu, que nunca houve tempo em que não existíssemos eu ou tu, ou qualquer destes príncipes da terra; igualmente, nunca virá tempo em que algum de nós deixe de existir[3].

13. Assim como a alma, vestindo este corpo material, passa pelos estados de infância, mocidade, virilidade e velhice, assim, no tempo devido, ela passa a outro corpo, e em outras encarnações, viverá outra vez. Os que possuem a sabedoria da doutrina esotérica (interior), sabem, isto é, não se deixam influenciar pelas mudanças a que está sujeito este mundo exterior.

14. Os sentidos dão-te, pelas apropriadas faculdades mentais, o sentimento do calor e do frio, do prazer e da dor. Mas essas mudanças vêm e vão, porque pertencem ao temporário, impermanente, inconstante. Suporta-as com equanimidade, valentia e paciência, ó príncipe!

15. O homem que não se deixa mais atormentar por essas coisas – que se mantém firme e inabalável no meio do prazer e da dor – que possui a verdadeira igualdade de ânimo: esse, crê-me, entrou no caminho que conduz à imortalidade.

16. Aquilo que é irreal, ilusório, não tem em si o Ser Real, não existe na realidade, e sim só na ilusão; e aquilo

---

3   O que no homem é divino, o seu Ser verdadeiro, é eterno. Não nasce nem morre, e forma a sua individualidade, que aparece periodicamente, vestida de corpo material, mas é independente dele.

que é o Ser Real, nunca cessa de ser, – nunca pode deixar de existir, apesar de todas as aparências contrárias. Os sábios, ó Arjuna, fizeram pesquisas relativas a isso e descobriram a verdadeira Essência e o sentido interior das coisas[4].

17. Sabe que o Ser Absoluto, de que todo o Universo tem o seu princípio, está em tudo, e é indestrutível. Ninguém pode causar a destruição desse Imperecível[5].

18. Estes corpos caducos, que servem como envoltórios para as almas que os ocupam, são coisas finitas, coisas do momento, e não são o verdadeiro homem real. Eles perecem, como todas as coisas finitas; deixa-os perecer, ó príncipe de Pāndu, e, sabendo disso, prepara-te para o combate.

19. Aquele que pensa, em sua ignorância: "Eu mato" ou "Eu serei morto", procede como criança que não tem conhecimento da verdade, porque o que É na realidade, é eterno, e o Eterno não pode matar nem ser morto.

20. Conhece esta verdade, ó príncipe! O Homem real, isto é, o Espírito do homem, não nasce nem morre. Inato, imortal, perpétuo e eterno, sempre existiu e sempre existirá. O corpo pode morrer ou ser morto e destruído; porém,

---

4 Só aquele Ser, no homem que é penetrado pela Verdade, pode conhecê-la, porque a Verdade é a sua essência e conhece-se, no homem, a si mesma.

5 O corpo é o instrumento do Espírito; é a sombra incorporada, em que a Luz se esforça por manifestar-se.

aquele que ocupou o corpo, permanece depois da morte deste[6].

21. Quem conhece a verdade de que o Homem real é eterno, indestrutível, superior ao tempo, à mudança e aos acidentes, não pode cometer a estultice de pensar que pode matar ou ser morto.

22. Como a gente tira do corpo as roupas usadas e as substitui por novas e melhores, assim também o habitante do corpo (que é o Espírito), tendo abandonado a velha morada mortal, entra em outra, nova e recém-preparada para ele[7].

23. O Homem real, o Espírito, não pode ser ferido por armas, nem queimado pelo fogo; a água não o molha, o vento não o seca nem move.

24. Ele é impermeável, incombustível, indissolúvel, imortal, permanente, imutável, inalterável, eterno, e penetra tudo.

25. Em sua essência, é invisível, inconcebível, incognoscível[8]. Sabendo isso, não te entregues à aflição pueril.

---

6   O Espirito é a própria vida; isto é, a Vida Eterna, de que a vida exterior, corporal, é só um reflexo, uma manifestação de ordem inferior.

7   A reencarnação é uma lei universal em toda a natureza. O espírito do homem desencarnado volta, depois de um tempo de descanso, a ocupar um novo corpo, formando assim nova pessoa. Enquanto a alma não tem conhecimento espiritual de si mesma esse processo é inconsciente.

8   Isto é, para o intelecto exterior; mas é cognoscível para a percepção interior do homem espiritualmente iluminado.

26. Se, porém, não o crês, e pensas que nascimento e morte são coisas reais, mesmo assim te pergunto: por que te lamentas e entristeces?

27. Pois, em verdade, a morte deriva do nascimento, e o nascimento dimana da morte. Não te aflijas, pois, pelo inevitável.

28. Aqueles que carecem da Sabedoria Interior, ignoram de onde viemos e para onde iremos; conhecem só aquilo que é transitório. No Ser Eterno, todas as coisas são compreendidas no estado invisível; depois se fazem visíveis, e na morte tornam a ser invisíveis. Por que então lamentar?

29. Quanto à alma, o Homem real, Espírito ou Ser Eterno, alguns o tomam por coisa maravilhosa; outros ouvem falar e falam dele como de uma maravilha, com incredulidade e sem compreensão. Mas a mente mortal não compreende esse mistério, nem o conhece em sua natureza verdadeira e essencial, apesar de tudo o que foi dito, ensinado e pensado a seu respeito[9].

30. O Espírito, esse Homem real que habita o corpo, é invulnerável e indestrutível: é a própria vida. Não há, pois, motivo para te abandonares à aflição e tristeza.

31. Deves estar atento ao teu dever. Tu, que és um príncipe da casa dos guerreiros, tens por dever combater com resolução e heroísmo.

---

9   Só pode compreender o Ser Eterno, quem o realizou em si mesmo.

32. O dever de um soldado é combater, e combater bem. O combate justo honra o guerreiro e abre-lhe a porta do céu.

33. Se desistires da legítima luta pela verdade e pelo direito, cometerás um grande crime contra a tua honra, contra o teu dever e contra o teu povo.

34. Os homens de perto e de longe falarão de ti com desprezo, classificando de vergonhoso o teu proceder; e a vergonha e a desonra são piores do que a morte para quem é de nobre nascimento.

35. Todos os generais pensarão que foi por medo que fugiste do campo de batalha, e te tratarão como covarde; e aqueles que até agora te estimam, desprezar-te-ão.

36. Os teus inimigos espalharão má fama a teu respeito; com burla e com desdém falarão de ti e de tua falta de coragem. Poderia acontecer-te coisa pior?

37. Se fores morto em batalha, o céu dos guerreiros será a tua recompensa; se fores o vencedor, será teu o domínio sobre a terra. Tem, pois, coragem, ó filho-de-Kuntī, e decide-te a combater com ânimo firme!

38. Com a mente tranquila, aceita como igual o prazer e a dor, o ganho e a perda, a vitória e a derrota. Cinge-te para a peleja, cumpre o teu dever, e evita assim o pecado.

39. O que te expus, ó Arjuna, é a doutrina de *Sāmkhya*, filosofia especulativa da vida e das coisas.

Agora, prepara-te também para ouvir a doutrina de uma escola, chamada *Yoga*. Se com a devida profundeza e concentração, chegares a compreender estas verdades, libertar-te-ás das cadeias das ações.

40. Nada de teus esforços se perde neste caminho; já a menor porção desta ciência e prática[10] nos livra de grande medo e perigo.

41. Neste ramo de ciência, há um só objeto em que a mente pode concentrar-se com segurança, muito ao contrário de outros campos de esforço mental, cheios de múltiplos ramos, numerosos caminhos e divergentes fins.

42. Muitos há que, saciando-se com as letras (ou com o sentido exterior, superficial) das Sagradas Escrituras e doutrinas, e não podendo perceber o seu verdadeiro sentido interior, acham grande deleite em controvérsias técnicas a respeito do texto, em definições monstruosas e abstrusas interpretações.

43. Os corações desses homens estão cheios de desejos e esperanças pessoais; o seu mais alto ideal é um céu, onde acham todos os objetos de seus prazeres, a satisfação do seu sensualismo, e não se elevam à altura de onde se percebe a união de todos os seres. Usam palavras floreadas, inventam várias cerimônias e falam muito dos prêmios que esperam aqueles que as observam, e dos castigos em que caem os que são de outras opiniões.

---

10 *Yoga* significa "união", não só no sentido de doutrina filosófica, como também na *prática*; o saber teórico sem a realização prática não tem valor.

44. Fica, porém, sabendo que laboram em erro; é-lhes desconhecido o uso da Razão concentrada, e estranhas lhes são as alturas da consciência espiritual.

45. *Os Vedas* (isto é, as Sagradas Escrituras) tratam dos três *gunas* ou *qualidades* da Matéria[11] e instruem os pensadores a se elevarem acima deles. Liberta-te, ó Arjuna, desses gunas; sê livre dos contrastes das forças opostas da natureza, que pertencem à vida finita e às coisas sujeitas à mudança. Procura para teu descanso a consciência do teu Eu Real, a Verdade eterna. Deixa longe de ti os cuidados mundanos e a avidez de possessões materiais. Concentra-te em ti mesmo, e não te entregues às ilusões do mundo finito.

46. Como de um tanque, em que de todos os lados aflui água, pode-se tirar o fluido cristalino para encher-se com ele muitos vasos de diferentes formas e dimensões, assim as doutrinas dos livros sagrados fornecem à mente do estudante sério, tudo aquilo de que ele precisa para chegar ao conhecimento das coisas divinas, conforme o grau e o caráter de seu desenvolvimento.

47. Seja, pois, o motivo das tuas ações e dos teus pensamentos sempre o cumprimento do dever, e faze as tuas obras sem procurares recompensa, sem te preocupares com o teu sucesso ou insucesso, com o teu ganho ou o teu

---
11 Veja-se o Capítulo XIV.

prejuízo pessoal. Porém, não caias na ociosidade e na inação, como acontece facilmente aos que perderam a ilusão de esperar uma recompensa das suas ações.

48. Coloca-te no meio entre esses dois extremos, ó príncipe, e cumpre, em tranquila resignação, o dever por ser dever, e não pela expectativa da recompensa. Conserva ânimo igual na ventura ou na desventura: assim é que faz o yogī.

49. Por muito importante que seja a tua reta ação, o primeiro lugar pertence sempre ao reto pensamento. Portanto, procura o teu refúgio na paz e na calma do reto pensar, ó Arjuna: porque aqueles que baseiam o seu bem-estar só nas ações, com estas necessariamente perdem a felicidade e a paz, e caem na miséria e no descontentamento.

50. Quem atingiu a consciência de yogī é capaz de elevar-se acima dos resultados bons e maus. Esforça-te por atingir essa consciência, porque ela é a chave que abre o mistério da ação.

51. Os sábios, que renunciam mentalmente aos frutos possíveis de suas retas ações, libertam-se das cadeias dos renascimentos e se encaminham para a morada eterna.

52. Quando te tiveres elevado acima da trama das ilusões, não te inquietarás com os cuidados e questões a respeito das doutrinas, nem com as disputas sobre ritos,

cerimoniais e outros enfeites dispensáveis da vestimenta da ideia espiritual.

53. Livre serás, então, de todas as opiniões alheias, tanto das que se acham nos livros sagrados, como das dos teólogos eruditos ou dos que ousam interpretar o que não compreendem; em lugar disso, fixarás a tua mente na mais séria contemplação do Espírito, e assim alcançarás a harmonia com o teu Eu real, que é a base de tudo".

Diz *Arjuna*:

54. "Explica-me, ó Mestre cujos raios de saber tudo penetram, quais são os sinais distintivos que caracterizam os homens sábios, aqueles que são firmes e constantes no conhecimento e fixos na contemplação; como se comportam e como agem? Como se pode reconhecê-los?."

Fala o *Verbo Divino*:

55. "Quando um homem, ó príncipe, quebrou os vínculos dos desejos do seu coração e está interiormente satisfeito consigo, atingiu a Consciência Espiritual e firmou-se no conhecimento.

56. A sua mente não é turbada nem pela adversidade nem pela prosperidade: aceita ambas, sem apegar-se a nenhuma. Nele não tem parte a ira, nem o medo, nem as paixões; ele merece o nome de sábio.

57. Com equanimidade suporta as vicissitudes da vida, tanto as favoráveis como as desfavoráveis; não se entrega

nem à alegria excessiva, nem à tristeza. Nada lhe rouba a liberdade.

58. Quando um homem chegou a possuir a verdadeira sabedoria espiritual, é semelhante à tartaruga que encolhe para dentro da sua casa os seus membros:

Assim o homem sábio é capaz de desviar os seus sentidos dos objetos que neles produzem impressão, e abrigá-los das ilusões do mundo exterior, protegendo-os pela armadura do Espírito.

59. É verdade que o homem que se abstém dos excessos sensuais, é capaz de negar a satisfação aos sentidos; porém, tal homem, ainda é inquietado pelos desejos de gratificação. Mas aquele que achou o seu Eu Real dentro de si é livre até do desejo e de toda tentação que desaparecem como a sombra ante a luz meridiana.

60. O homem que se abstém, às vezes sucumbe ainda ao ataque repentino de um desejo tumultuoso; mas quem sabe que o seu Eu Real é a única realidade, esse é senhor de si mesmo, de seus desejos e de seus sentidos.

61. Tendo vencido os sentidos, pode descansar em minha Divindade, contemplando o Ser Real; o irreal, o ilusório, não existe para ele.

62. Quem anela objetos dos sentidos, nos quais pensa e os quais contempla, fica atraído e enlaçado por esses objetos; dessa atração e desse enlace provém o desejo, e o desejo gera a paixão.

63. A paixão é a causa da perturbação mental e da temeridade; estas trazem a confusão e a perda da memória (das verdades já reconhecidas); da perda da memória resulta a perda da razão, e, com isso, perde-se o homem totalmente.

64. Mas quem, senhor de si mesmo, encontra os objetos dos sentidos, sem por eles anelar e sem deles fugir, esse alcança a Paz.

65. E na Paz que é superior a todo intelecto, ele encontra a sua libertação de todas as aflições e dores da vida. Quando, porém, a sua mente está livre desses elementos de inquietação, fica aberta ao influxo da sabedoria e da ciência.

66. Não podem chegar à verdadeira ciência aqueles que não entraram nessa Paz, porque sem a Paz e sem a calma não é possível haver sabedoria, nem felicidade.

67. Onde não há Paz, encontra-se somente a tormenta dos desejos sensuais, que destrói a faculdade do saber, assim como um feroz vento borrascoso impede o forte navio que caminha pelas ondas do Oceano.

68. Por isso, ó príncipe, só aquele cujos sentidos são plenamente livres de atração dos objetos sensuais e protegidos pelo saber do Espírito, tem o verdadeiro conhecimento.

69. Aquilo que parece ser claridade de dia à massa do povo é, para ele, escuridão e ignorância; e aquilo que é noite para a multidão, ele reconhece como luz meridiana. Isto quer dizer que aquilo que à gente do mundo sensorial

parece ser real e verdadeiro, para o sábio é ilusão; e aquilo que a maior parte dos homens julga ser irreal e não existente, o sábio conhece como o único que é Real e existente.

70. O homem cujo coração é como o Oceano, a que afluem todos os rios e que, apesar disso, permanece constante e não sai dos seus limites – o homem que sente o ímpeto dos desejos, das paixões e inclinações, mas que, todavia, fica imóvel – esse alcança a Paz[12]. Aquele, porém, que se entrega aos desejos, não conhece a Paz, e é escravo dos desejos inquietantes.

71. Aquele que se separou dos efeitos dos desejos, e abandonou os prazeres da carne, tanto em pensamento como em ação, caminha diretamente para a Paz. Quem deixou atrás de si o orgulho, a vanglória e o egoísmo, caminha diretamente para a Bem-aventurança.

72. Este é, ó príncipe de Pāndu, o estado da união com o Ser Real, o estado bem-aventurado da Consciência Espiritual. Quem o atingiu, não se deixa embaraçar nem desviar pela ilusão. E quem, havendo-o atingido, nele permanece na hora da morte, entra diretamente em *Nirvāna*[13], em *Brahma*[14], no seio do Pai-Eterno."

---

12 Esse estado, em que todos os desejos e todos os pensamentos "dormem", mas em que se sente a mais elevada consciência da Divindade, chama-se (com o termo sânscrito) *Samādhi*.

13 A palavra *Nirvāna* designa a desaparição de todas as ilusões; é o domínio completo do espírito sobre a matéria.

14 *Brahma* – Deus Criador.

Capítulo III

karma-yoga – o reto cumprimento da ação

Tudo o que o homem faz com motivos pessoais é sem valor para o Eterno. Para atingirmos a salvação e a união com Deus, havemos de agir sem motivos egoístas, sem tomar em consideração o nosso próprio Eu pessoal, entregando-nos à Vontade Divina como um instrumento na mão de Deus e, assim, cumprindo o nosso dever por ser dever, sem pedir recompensas.

Falou *Ārjuna*, o príncipe Pāndava, a Krishna, o Senhor Bem-aventurado, dizendo:

1. "Ó Conferidor do Saber! Disseste-me que o conhecimento é até mais importante do que a ação; se assim é, por que me incitas à ação? Por que queres que eu entre nesta horrível batalha com meus parentes e amigos?

2. Tuas ambíguas palavras me trazem dúvidas e me confundem o entendimento. Dize-me, peço-te, em frases claras e certas, qual é o caminho que me conduzirá à Paz e à Satisfação?"

Respondeu *Krishna*, o Divino:

3. "Como já te disse, ó nobre príncipe, há dois caminhos que vão à Perfeição. O primeiro é o caminho do *Conhecimento*[1], e o segundo o da *Ação*[2]. Uns preferem o primeiro, e outros, o segundo desses dois caminhos; sabe, porém, que considerados do alto, ambos são um só caminho. Escuta!

4. Engana-se quem pensa que, esquivando-se das ações e persistindo na inatividade, escapa dos resultados da ação. Quem nada começa, não pode entrar no estado da Paz Eterna; a inatividade não conduz à Perfeição. E, na realidade, nem há coisas que se possam designar pela palavra inatividade; isso porque no Universo, tudo está em atividade constante, e nada pode subtrair-se à lei geral.

5. Ninguém pode ficar inativo nem um instante, pois as leis de sua natureza o impelem constantemente a fazer alguma coisa, queira ele ou não; o seu corpo ou a sua mente, ou ambos, sempre estão ocupados.

---

1 *Sāmkhya*.
2 Yoga.

6. Se alguém se assenta para reter e dominar os seus sentidos e os órgãos de atividade, mas em sua mente está apegado aos objetos dos sentidos, ilude-se e merece o nome de hipócrita.

7. Porém, é digno de ser chamado sábio e nobre aquele que sujeitou os seus sentidos a Deus, pelo amor ardente ao Altíssimo, e expressa o seu reto pensar em reta ação; ele cumpre o seu dever, sem esperar recompensas e, ocupando-se de objetos dos sentidos, não se deixa dominar por eles.

8. Faze bem o que te compete fazer no mundo; cumpre bem as tuas tarefas; ocupa-te da obra que encontras, para fazê-la o melhor possível: assim será muito bom para ti. Atividade é melhor do que ociosidade. A atividade fortalece a mente e o corpo, e conduz a uma vida longa e normal; a ociosidade enfraquece tanto o corpo como a mente, e conduz a uma vida impotente e anormal, de duração incerta.

9. Os homens estão aferrados a este mundo, porque agem com o fim de obter recompensa e ganho; estão apegados aos objetos de seus desejos, e, por isso, cansam-se na escravidão dos sentidos. Para se libertarem, hão de agir com resignação, movidos pelo puro amor ao Bem. Ó, Arjuna! Faze, pois, a tua tarefa, para cumprires o dever que o Eu Real te impõe, e não por qualquer outro motivo.

10. Lembras-te das doutrinas antigas que narram a criação do mundo, e as palavras que o Criador disse aos homens que tinha criado?

Ouve, t'as repetirei:

"Pela adoração e pelo sacrifício mútuo, crescereis e vos multiplicareis. Pela resignação, obtereis a satisfação dos vossos desejos.

11. Lembrai-vos da Fonte de todas as coisas, do Distribuidor dos objetos desejados. Pensai no que é Divino, para que o Divino pense em vós.

12. Se nutrirdes, com o sacrifício de vós mesmos, os deuses, eles vos darão o desejado alimento (espiritual). Quem recebe os dons dos deuses e não lhes mostra a gratidão, é como um ladrão.

13. Os bons homens que retêm para si só aquilo que resta depois de terem oferecido à Divindade tudo o que é divino, são livres de todos os pecados; porém, os maus que querem agir só para si mesmos, vivem em pecado.

14. Todas as criaturas (tanto as espirituais como as materiais) vivem, enquanto se alimentam. O alimento cresce com a chuva. A chuva é mandada pelos deuses em resposta aos desejos, às preces e às súplicas dos homens. Os desejos, as preces e as súplicas dos homens são formas de ações; e as ações procedem da Vida Una que tudo penetra".

15. Sabe que toda ação tem sua origem em Brahma. Brahma é a revelação da indivisível Unidade. Por isso, Brahma, que tudo penetra, é sempre presente nas tuas ações.

16. É vã e vergonhosa a vida do homem que, vivendo neste mundo de ação, tenta abster-se da ação; quem, gozando o fruto da ação do mundo ativo, não coopera, mas vive em ociosidade. Aquele que, aproveitando a volta da roda, em cada instante de sua vida, não quer pôr a mão à roda para ajudar a movê-la, é um parasita e um ladrão que toma, sem dar coisa alguma em troca.

17. Sábio é, porém, aquele que cumpre bem os seus deveres e executa as obras que são para fazer-se no mundo, renunciando aos seus frutos e concentrado na ciência do Eu Real.

18. Tal homem, elevado acima dos mundos, não se inquieta por saber se alguma coisa no mundo acontece ou não acontece; achando em si mesmo tudo de que precisa, não tem necessidade de refugiar-se em nenhum ser criado, para nele achar apoio. Participando de tudo e agindo, em tudo, de acordo com os ditames do dever, de nada depende, porque a sua fé, esperança e ciência se fixam no Imperecível, que é o único apoio seguro.

19. Faze, pois, o que deve ser feito; porém, sem egoísmo e sem considerações pessoais. Quem age assim e cumpre o seu dever, livre de motivos egoístas, e sem depender de alguém, caminha, com passos firmes, diretamente à Consciência superior, ao plano espiritual.

20. Janaka e muitos outros atingiram o estado de perfeição por meio de boas obras e reta ação. Trabalha, pois, também tu por amor à humanidade.

21. Quando um nobre homem faz alguma coisa, os outros o imitam; o exemplo que ele dá é seguido pelo povo. Portanto, segue os melhores de tua raça.

22. Toma-me por exemplo, ó príncipe. Nada há, no Universo dos Universos, que eu deseje ou que seja necessário que para mim não se faça; nem há coisa alguma atingível que eu não tenha já atingido. E, contudo, estou em constante ação e movimento, agindo sempre e incessantemente.

23. Os homens, ó Arjuna, seguem sempre o meu exemplo; por isso, se eu deixasse de ser ativo, estes Universos cairiam em ruína.

24. Se eu não agisse, começaria a reinar uma confusão universal, e a minha inatividade seria a causa da destruição do gênero humano.

25. Como os que carecem ainda da Luz Espiritual fazem esforços para alcançar o que desejam, sendo a esperança de recompensa o estímulo de suas ações: assim deve o homem desenvolvido e iluminado agir abnegadamente, pela causa do bem comum e conforme a Lei Universal.

26. Mas não deves confundir, com essas ideias, a cabeça dos homens inexperientes, cujo coração ainda está apegado às obras. Deixa-os fazer o melhor que podem; mas tu e os outros sábios devem agir em harmonia comigo, animando os outros à atividade, e dando-lhes o exemplo.

27. Toda atividade e todas as ações provêm dos movimentos das forças da Natureza. O insensato, que é iludido pela presunção e vaidade, pensa que ele é o ator e diz: "Eu faço isto, – eu fiz aquilo".

28. Mas quem conhece a verdade, sorri, porque por trás da personalidade enxerga a fonte real da ação, a causa e o efeito.

29. Entretanto, os que conhecem a verdade inteira, devem acautelar-se para não ofuscarem com ela o fraco entendimento daqueles que ainda não estão preparados para conhecê-la, porque as doutrinas prematuras poderiam confundir e desviar estes da sua atividade.

30. Tu, porém, ó Arjuna, liberta-te de todos os cuidados, de todo medo e, igualmente, do egoísmo e das esperanças pessoais; em Meu nome[3], faze tudo o que hás de fazer, concentrando todos os teus pensamentos no Altíssimo!

31. Os homens que, cheios de fé e confiança, seguirem estes meus ensinos e não tiverem dúvidas, alcançarão a liberdade também pelas obras e ações.

32. Porém, aqueles que rejeitam os ensinos da Verdade e agem contra eles, são insensatos e iludidos, e caem em confusão e inquietações.

33. Cada ser age em conformidade com a sua natureza; também o sábio procura o que se harmoniza com a

---

[3] Isto é, em nome de Deus. Krishna é a Encarnação Divina.

sua própria natureza, de acordo com aquilo que é o mais elevado no seu caráter.

34. Ninguém pode escapar às leis naturais. Os objetos sensuais são os senhores dos sentidos, e atraem ou repelem o coração dos homens, enchendo-o de afeição ou de aversão. Não te deixes dominar por nenhuma dessas duas forças, porque ambas são obstáculos no caminho e o sábio a ambas subjuga.

35. Finalmente, lembra-te que é melhor cumprir a própria tarefa, ainda que seja humilde e insignificante, do que querer fazer a tarefa de outro, por mais nobre e excelente que seja. É melhor morrer no cumprimento do seu dever, do que viver negligenciando-o e querendo fazer o que a outros compete fazer."

Pergunta *Arjuna*:

36. "Mas dize-me, ó Senhor, que força misteriosa é essa que, muitas vezes, parece obrigar o homem a praticar um mal, até contra a própria vontade?".

Explica *Krishna*:

37. "Esta tentação, ó príncipe, é a essência dos desejos que o homem em si acumulou[4]. Ela é o seu maior inimigo, e chama-se *Paixão*; nasce da natureza carnal, cheia de pecado e de erro, e ataca o homem para o consumir.

---

4   Em sânscrito, dá-se-lhe o nome de *Kāma*. (Não confundir com *Karma*!)

38. Como a fumaça envolve a chama, a ferrugem o metal, o útero a criança para nascer: assim o mundo é envolvido por este inimigo, chamado Desejo.

39. O Desejo impede o verdadeiro saber; ele é como um fogo devorador, difícil de extinguir-se.

40. Os sentidos e a mente são a sua sede; e, por meio deles, confunde o discernimento e obscurece o conhecimento da verdade.

41. Antes de tudo, deves, portanto, vencer esse inimigo de tua alma. Domina os teus sentidos e os teus órgãos, e afugenta de ti esse gerador do mal.

42. Os sentidos são grandes e poderosos; porém, maior e mais poderosa é a mente; maior do que esta é a Razão, e o mais forte é o Eu Real, a Luz da Divindade[5].

43. Reconhecendo, pois, o Eu Real como o Senhor mais poderoso, domina pelo seu poder o eu pessoal, e assim subjuga o monstro de desejo: esta tarefa é difícil, mas não impossível. Combate o desejo, domina-o pela força da Luz Divina do Eu Real; não o deixes ser teu Senhor, mas reduze-o a ser teu escravo!"

---

5   Os sentidos, que são a sede do desejo, designam-se, em sânscrito, pelo termo *Kāma*; a mente chama-se *Manas*; a Razão Iluminada, *Budhi*; o Eu Real, a Consciência da Divindade, *Ātma*.

Capítulo IV

Jnāna-yoga – o conhecimento espiritual

O homem pode libertar-se da ilusão do "eu pessoal", e alcançar a união com a Essência Divina, pelo conhecimento interior de si próprio, isto é, pela iluminação interior. Essa força aumenta com a prática, quando se cumpre o dever com abnegação.

1. Continuou a falar *Krishna*:

1. "Já na mais remota antiguidade dei esta doutrina da união com o Eu Divino a Vivasvat[1]. Ele a ensinou a Manu[2], e este a transmitiu a Ikshvāku, o fundador da dinastia solar.

2. De Ikshvāku passou esta doutrina a outros, e era conhecida pelos Rishis[3]; no decorrer dos tempos, entretanto,

---

1 *Vivasvat* é o Sol Espiritual ou a Mente Divina no princípio do mundo.
2 Manu se deriva da raiz sânscrita *man*, pensar. Aqui se refere ao Filho do Sol e Pai da Raça atual.
3 *Rishis* são os Reis Sábios ou Patriarcas.

caiu em esquecimento o sentido espiritual, conservando-se apenas a letra. Tal é a sorte da Verdade entre os homens.

3. A ti, agora, que és meu amigo dedicadíssimo, quero de novo explicar esta doutrina, que é o mais profundo segredo e a mais antiga verdade."

Disse *Arjuna*:

4. "Como devo compreender-te, ó Senhor, quando dizes que ensinaste a Vivasvat? Ele viveu no princípio do Tempo e tu nasceste há poucos decênios"[4].

Respondeu *Krishna*, o Verbo Divino:

5. "Muitos foram já os meus nascimentos, e muitos também foram os teus, ó Arjuna. Eu sou consciente deles todos, mas tu não o és.

6. Escuta este mistério. Eu sou superior a nascimento; sou inato e eterno, sou o Senhor de todas as criaturas, pois tudo emana de Mim: mas também nasço, gerado por meu próprio Poder.

7. Sempre que o mundo declina em virtude e justiça; sempre que imperam o vício e a injustiça, venho Eu, o Senhor, e apareço no meu mundo em forma visível, nascendo e vivendo como homem entre os homens.

8. A minha influência e doutrina destroem o mal e a injustiça, e restabelecem a virtude e a justiça. Muitas vezes, já apareci assim, e muitas vezes aparecerei ainda.

---

4 Compare-se com o Evangelho segundo São João, cap. VIII, vers. 57 e 58: "Disseram-lhe os judeus: "Ainda não tens cinquenta anos, e viste Abraão?". Disse-lhes Jesus: "Em verdade, vos digo que, antes que Abraão fosse feito, eu sou".

9. Quem me reconhece em minha encarnação, quem me conhece em minha Essência, não precisa reencarnar-se mais, ao deixar o seu corpo mortal, e vem morar comigo em meu reino de Bem-aventurança.

10. Muitos já vieram assim a Mim, tendo-se libertado do medo, ódio, ira e paixão. Quem a Mim se dirige com firmeza e em Mim fixa a sua mente, é purificado pela chama sagrada do Amor e da Sabedoria e, livre da atração dos objetos terrenos, torna-se semelhante a Mim, e entra em minha Vida Espiritual.

11. Eu acolho prazenteiro todos os que me procuram e honram, qualquer que seja o caminho que sigam, porque todos os caminhos, todas as formas religiosas, embora de denominações diferentes, a Mim os conduzem.

12. Até aqueles que adoram os Devas[5], e lhes pedem recompensa por suas ações, encontram o que procuram, pois no mundo dos homens toda ação produz o seu fruto.

13. Mas Eu sou o Criador da humanidade inteira, em todas as suas fases e formas. De Mim procedem as quatro castas[6], com as suas qualidades e atividades distintivas. Sabe que Eu sou o Criador delas, se bem que, em Mim mesmo, sou imutável e sem qualidades.

---

5 *Devas*: o mesmo que Anjos.
6 Brāhmanas (Brāmanes) (sacerdotes), os Kshatriyas (governantes e guerreiros), os Vaishyas (comerciantes, artesãos e camponeses) e os Shūdras (servos).

14. Em minha Essência, sou livre dos efeitos das ações e não tenho desejo nenhum de obter recompensas ou gozar os frutos das minhas obras; isso porque essas coisas são produzidas por meu Poder e não têm influência sobre Mim. Em verdade, digo-te que quem é capaz de achar a solução desse enigma e me percebe como Eu sou em minha Essência, fica livre dos efeitos das ações.

15. Os sábios antigos que conheceram essa verdade praticavam ações sem esperar recompensa, e assim alcançaram a Liberdade. Segue também tu o exemplo deles.

16. Poderás dizer que, às vezes, nem os sábios conseguem definir o que é a ação e o que é a inação. Eu t'o explicarei, e te ensinarei em que consiste a ação que te libertará do mal e te tornará livre.

17. É preciso distinguir estas três coisas: ação (isto é, reta ação), inação (ou abstenção) e má ação. É difícil discernir-se o caminho da ação.

18. Quem se adiantou de tal maneira que é capaz de ver ação na inação, e inação na ação, pertence aos sábios de sua raça, e permanece em harmonia enquanto pratica ações.

19. As suas obras são livres dos vínculos de esperanças egoístas, e sua atividade é purificada das espumas dos desejos, pela chama da sabedoria. Tal homem merece o nome de Sábio.

20. Tendo renunciado aos frutos das suas ações, está sempre contente e confia na força divina do seu interior, e assim está em inação, ainda que trabalhe, porque não age para a sua pessoa, mas deixa agir por si a força Divina.

21. Não espera lucro, não receia perda; de nada depende, e mantém os seus sentidos sob o domínio da razão. Assim é senhor dos seus sentimentos e pensamentos um rei poderoso no reino interior da alma.

22. Está contente sempre com tudo o que o dia lhe oferece; não se deixa alterar por ventura nem por desventura; é livre da inveja; mantém o ânimo constante e o coração afável, tanto no sucesso como no insucesso; faz sempre o melhor que pode, porém sem se apegar à obra. Assim, vive puro e imaculado entre os impuros e pecadores.

23. As obras do homem que matou em si todo o apego e mantém sua mente firme na sabedoria, são como inexistentes para ele; tudo ele faz no espírito divino, conforme a vontade de Deus, e assim, cada uma de suas ações é um sacrifício no altar do Amor Divino.

24. Deus é Amor; o próprio Deus é o sacrificador e o sacrifício; Ele é o fogo e o alimento do fogo. Deus em Deus oferece sacrifício a Deus, e assim vem a Deus quem, oferecendo sacrifício, n'Ele pensa.

25. Há muitos devotos que invocam os deuses inferiores; outros adoram o Princípio Divino só no fogo do Amor.

26. Outros há que oferecem à Divindade sacrifícios de abnegação, renunciando ao que agrada ao ouvido, à vista e aos outros sentidos; outros dirigem a Deus preces e hinos pios e elevam ao Altíssimo os corações ardentes.

27. Muitos depõem no altar do coração os prazeres da vida, alimentando o fogo místico de renunciação, pelo qual se lhes comunica a Luz do conhecimento.

28. Outros renunciam à riqueza e fazem votos de penitência e obediência, ou dedicam-se ao estudo e à procura da verdade, meditando no silêncio.

29. Outros praticam a respiração sagrada, e pondo em harmonia o hálito interior e o exterior, dominam a aspiração e a expiração pelo poder da vontade.

30. Outros praticam abstinência e jejuns e esforçam-se por sacrificar a vida material, totalmente, à vida espiritual. Todos estes oferecem sacrifícios, ainda que de diferentes modos; e todos obtêm méritos pelo espírito sacrificial das suas observâncias.

31. Há muita virtude e mérito na moderação e no domínio de si mesmo; e essa é a causa por que os sacrificadores se aproximam de Mim. Sim, aqueles que se alimentam espiritualmente com a parte espiritual do sacrifício que a Deus oferecem, entram em união com Deus. Mas quem nenhum sacrifício oferece, não acha mérito neste mundo nem no outro.

32. Assim vês que há muitas formas de sacrifício e adoração, ó Arjuna. Se compreenderes isso, chegarás a ser livre de erros.

33. Melhor, porém, do que o sacrifício de objetos e coisas, é o sacrifício oferecido pelo saber. O saber ou conhecimento perfeito em si mesmo é o coroamento de todas as ações.

34. Ao saber perfeito, ao conhecimento da Verdade chegarás adorando, servindo e investigando. Os sábios que possuem a sabedoria interior estão prontos a ajudar aqueles que procuram a Verdade.

35. Quando tiveres adquirido a Sabedoria, serás livre de confusão, dúvidas, má compreensão e erros; pois verás que tudo o que existe no grande Todo forma uma só vida, e, por conseguinte, é contido em Mim e em ti mesmo.

36. Ainda que tivesses sido o maior pecador dentre os homens, a nave do conhecimento da Verdade te conduzirá sem perigo pelo mar dos pecados.

37. Como a chama reduz a lenha a cinzas e o vento dispersa estas, assim a Verdade converte em cinzas o resultado das más ações que cometeste em ignorância e erro.

38. Não há, no mundo, outro agente de purificação igual à chama da Verdade Espiritual. Quem a conhece, quem a ela se dedica, será purificado das manchas da personalidade, e achará o seu Eu Real.

39. O conhecimento da Verdade é dado àquele que vive na força da fé, e domina o eu pessoal e as impressões dos sentidos. Quem atingiu esse conhecimento e essa Sabedoria, entra na Paz Suprema, no Nirvāna.

40. Mas o ignorante e o descrente não podem achar nem o começo do caminho que à Paz conduz. Sem fé não é possível felicidade e paz, nem neste mundo, nem em outros.

41. Livre dos vínculos das ações é o homem que, mediante o Conhecimento Espiritual, cortou os nós que o ligavam aos frutos das ações, e cujas dúvidas e ilusões todas ficaram destruídas pela Luz do Saber.

42. Levanta-te, pois, em teu poder, ó príncipe, empunha a espada refulgente do conhecimento espiritual e corta todos os vínculos das dúvidas e ilusões que prendem o teu coração e a tua mente. Eleva a Mim a tua alma e executa a Ação que te é determinada."

Capítulo V

karma sannyasa yoga – renúncia às obras

Neste capítulo se expõe como o homem exterior e terreno não pode, pela própria vontade e própria força, fazer qualquer coisa boa ou santa, porque todo o bem procede de Deus. Para poder-se agir sabiamente, é necessário possuir sabedoria; e quem possui sabedoria, não age por si mesmo, mas serve apenas de instrumento à Vontade Divina.

Então falou *Arjuna*, o príncipe de Pāndu, a Krishna, o Senhor Bem-aventurado, dizendo:

1. "Ó Senhor, ora louvas a renúncia às obras, ora a prática das obras. Dize-me, de ambas qual é a superior? Fala-me claramente, para que em mim não haja mais dúvida nem confusão".

O *Verbo Divino*:

2. "Ó Arjuna, tanto a renúncia às obras como a prática das obras têm grande mérito: ambas conduzem ao alvo supremo. Entretanto, é preferível a prática das obras à sua renúncia; a reta ação é muito melhor do que a inação.

3. Para não caíres em confusão, discerne bem o uso desses termos. Só se abstém verdadeiramente aquele que não odeia a ação nem por ela se apaixona; assim é que ele pratica a renunciação, nada odiando e nada desejando. Quem está acima dos contrastes e mantém-se calmo e contente, sempre pronto a cumprir a sua tarefa e, contudo, sem apegar-se à obra, facilmente se liberta dos vínculos da ilusão.

4. Os inexperientes que principiam a estudar a Verdade, costumam designar o conhecimento e as obras, ou a abstenção da ação e a prática da reta ação como duas coisas diferentes, mas os sábios as reconhecem como uma coisa só; isso porque quem tem o conhecimento, há de ter também as obras, e quem tem as obras, terá igualmente o conhecimento.

5. Esses dois caminhos conduzem ao mesmo fim, e os que seguem um deles chegam ao mesmo ponto que os que vão pelo outro. Quem tem a reta percepção vê que o conhecimento e a atividade, ou – por outras palavras – a renúncia e a prática são uma coisa só, em sua essência.

6. Abster-se e renunciar é muito difícil para quem não tem experiência das ações; abençoado, porém, é aquele que sabe harmonizar os dois caminhos: o seu espírito dirige-se ao Eterno e une-se com Deus, entrando na Paz do Nirvana.

7. Quem é firme na prática da Reta Ação e, ao mesmo tempo, domina a si mesmo, subjugando à Vontade Divina os seus sentidos e desejos, sente-se uno com tudo o que existe e não é influenciado pelas obras que pratica.

8. Ele conhece a Vida Universal e o que dela procede, e sabe que não é ele, como espírito, quem age, mas é a sua natureza que vê, cheira, sente, come, caminha e respira.

9. Em verdade, pode ele dizer: "Os sentidos fazem a sua parte no mundo sensual; deixemo-los agir, eu não sou vinculado a eles nem iludido por eles, porque sei qual é o seu fim".

10. Quem encara suas ações como obra dos sentidos, e as executa sem apego, não é maculado pelo egoísmo, tal qual a flor do lótus, que não é poluída pelas águas que a rodeiam.

11. O yogī, tendo-se libertado de todo o apego, executa as ações do corpo, da mente e do intelecto, e até dos sentidos, sempre com o fim de purificar a mente, e sem qualquer motivo egoísta.

12. Vivendo em harmonia com a Natureza, tendo abandonado o desejo e a esperança de recompensa pelas ações, alcança a Paz. Ao contrário, o homem que não vive

em tal harmonia e que nutre desejos de recompensa por suas ações, é turbado, inquieto e descontente.

13. A alma do sábio que, no fundo de sua vontade, renunciou a toda ação e inação própria, e não procura recompensa, habita o corpo, que é o Templo do Espírito, mantém-se quieta, em paz, sem desejo de agir e sem causar ação, e, entretanto, está sempre pronta a executar a sua parte na ação, quando o dever a chama. Porque o sábio sabe que ainda que o seu corpo, essa cidade com as nove portas, se ocupe de ações, o Eu Real permanece imperturbado.

14. O Senhor do Mundo (o Eu Real) não engendra nem a atividade, nem as ações, nem as relações entre a causa e o efeito. Em tudo isso age apenas a natureza dos seres.

15. O Senhor do Mundo não interfere nem nos pecados nem nas boas ações de ninguém. A luz da sabedoria está obscurecida pela fumaça da ignorância, e o homem ilude-se com isso e pensa que a fumaça é a chama, não podendo enxergar esta atrás daquela.

16. Mas aqueles que são capazes de transpor a fumaça, percebem a clara luz do Espírito que brilha como uma infinidade de sóis, livre e sem o véu da fumaça que a esconde às vistas da maior parte dos homens.

17. Meditando sobre o Altíssimo, que é o Eu Real, unindo-se a Ele, conhecendo-O e amando-O, passa o sábio

aos estados superiores, aos planos mais altos, dos quais não volta mais para os graus inferiores da existência.

O conhecimento da Verdade consumiu todos os seus pecados e erros, e ele entra no reino da Bem-aventurança.

18. A sua vista, sendo livre da fumaça do erro e da ilusão, reconhece um Ser em tudo; igual sentimento e respeito tem ele pelos homens eruditos, reverendos, nobres e iluminados, como pelos pobres, ignorantes e desprezados, e até pelas vacas, pelos elefantes e pelos cães. Porque, tendo vencido as ilusões, vê que as personalidades de todas as formas de vida são irreais, comparadas com o Eu Real, de maneira que, contempladas do alto, desaparecem até as maiores distinções mundanas.

19. Os que mantêm a equanimidade, já neste mundo se unem com Brahma (Deus Criador), porque Ele é imutável e eternamente o mesmo.

20. Não te deixes arrebatar, quando te acontece algo desagradável, nem percas o ânimo, quando tens má sorte. Levanta o teu pensamento à claridade limpa da esfera divina, imerge-te em Deus e n'Ele vive.

21. Em delícias eternas vive a alma que em si mesma encontra a fonte da felicidade, sendo unida com Deus e desapegada dos objetos do mundo exterior.

22. Os prazeres nascidos do contato dos sentidos externos, e a que chamam 'satisfação', são fontes de

sofrimentos, porque têm princípio e fim. O sábio não procura neles a sua felicidade.

23. Feliz é aquele que, nesta terra, ainda antes de deixar o corpo, pode resistir aos impulsos do desejo e da ira.

24. Quem em si mesmo encontra o céu, quem em si mesmo encontra a luz da iluminação, é um yogī, é um Santo; a sua vida conflui com a vida de Brahma, e são-lhe abertas as portas do Nirvāna.

25. Assim os Rishis, tendo-se libertado dos pecados, tendo vencido toda ideia de dualismo e separação, e vendo que toda a vida é uma, que toda ela emana de Um, e sentindo que o bem-estar de todos é o bem-estar de cada um, unificaram-se com o Todo e entraram no Nirvāna.

26. Assim todos os homens que seguem o seu exemplo, vivendo em humildade e na luz da fé, controlando as ações e dominando o eu inferior, aproximam-se da Paz Divina.

27. O verdadeiro yogī, deixando os objetos exteriores influenciar só o seu exterior e não a sua alma, abre as vistas interiores à Luz Eterna e une a sua respiração externa com a interna, em ritmo de harmonia.

28. Todos os seus sentidos obedecem à vontade Espiritual, todo o seu pensar tem as raízes em Deus; nada para si deseja, nada receia; a ele não tem acesso nem ódio nem ira: a sua salvação está realizada.

29. Ele Me conhece como Sou, sabe que Me agrada o domínio de si mesmo, reconhece-Me como Senhor do Universo, e amante de todas as almas, e une-se comigo. Pois Eu sou o amparo de todos os que em Mim se refugiam."

Capítulo VI

atma-samyama yoga — meditação ou subjugação ao eu superior

Neste capítulo se expõe como se realiza a união com o Ser Supremo, mediante a santificação interior e a meditação.

O *Verbo Divino*:

1. "Ouve as minhas palavras, ó Arjuna! Quem cumpre honestamente o seu dever da melhor maneira que lhe é possível, sem nutrir desejos de ser recompensado é, ao mesmo tempo, um asceta e um homem de ação; não aquele que simplesmente prescinde de ritos e sacrifícios.

2. Sabe, ó príncipe, que a Reta Ação, praticada com o conhecimento da verdade, é a melhor renúncia, o melhor ascetismo. Porque este consiste em verdade só no desinteresse e, se a ação não é acompanhada pelo conhecimento inteligente da renúncia aos resultados, não merece o nome de Reta Ação.

3. Nos primeiros graus do Caminho da Perfeição, ensina-se que o aspirante deve praticar a Reta Ação para ganhar os melhores méritos. Quando o discípulo atingiu a sabedoria e o conhecimento, e libertou-se do apego às obras, explicasse-lhe que a calma meditação e a paz serena da mente são os melhores meios para conduzi-lo ao alvo. A cada um dá-se conforme as necessidades e o grau de seu desenvolvimento.

4. Quando o homem está livre do apego aos frutos das ações, e à ação em si, bem como aos objetos do mundo dos sentidos, então atingiu o mais alto grau da Reta Ação, e tornou-se um yogī perfeito.

5. Cada um deve elevar-se espiritualmente pela força que lhe dá o Espírito divino, e não inferiorizar-se. O Eu Real, isto é, o Espírito do homem, é o amante do homem e o seu melhor amigo; mas ao ignorante pode parecer que é seu inimigo porque tende a aniquilar o seu sentimento de personalidade separada.

6. O Eu Real é o amigo daquele que domina o seu eu pessoal, inferior; porém, se a alma não alcançou ainda o Conhecimento, pode parecer-lhe que o Eu Real é o seu maior inimigo, porque quer libertar a alma ignorante das ilusões e dos erros que se lhe tornaram agradáveis.

7. A Alma do homem que chegou ao conhecimento do Eu Real em si mesmo permanece quieta e calma, contente e meiga, não se alterando pelo frio nem pelo calor,

nem por sofrimento nem por prazer, nem por aquilo que o mundo chama honra ou desonra.

8. O sábio yogī contenta-se com a ciência e com o conhecimento da Humanidade Divina; ele dá igual apreço a um pedaço de barro como ao ouro ou a uma pedra preciosa.

9. É afável para com todos, com igual amor e fraternidade a todos trata, sejam amigos ou inimigos, parentes ou não, compatriotas ou estrangeiros, santos ou pecadores, bons ou maus.

10. O yogī senta-se num lugar isolado e entrega-se à meditação e a profundos pensamentos. Dominando a mente e o corpo pelo Eu Real, é livre de opiniões e de expectativas egoístas.

11. Senta-se num lugar limpo, nem demasiado alto, nem demasiado baixo; cinge-se com um pano ou com o couro de antílope preto, e repousa sobre verbenas[1].

12. Assim sentado, domina a sua mente e dirige o pensamento a um ponto de concentração, ao mesmo tempo retendo as impressões dos sentidos e não deixando entrar na mente pensamentos que vagueiam. Nessa posição, mantendo calma e persistência, purifica a sua alma, dirigindo a consciência ao Eu Real, ao Absoluto, que é a base de todos os seres.

---

1 O plano é o símbolo da *castidade*, o antílope é o símbolo da *delicadeza do sentimento*; a verbena (erva "*Kusha*") é o símbolo da *firmeza*. O yogī deve ser casto, delicado e firme.

13. Tem sob domínio e imóveis a sua cabeça, a nuca e todo o corpo, de acordo com os costumes tradicionais dos yogīs; fixa o olhar no Eterno e Infinito, não olhando para nada do mundo dos sentidos, que o rodeia.

14. Com o ânimo tranquilo e sereno, livre de medo, inabalável em seu propósito, refreando a sua vontade, em silêncio permanece, pensando em Mim e em Mim imergindo.

15. O yogī que, dessa maneira, se exercita em devoção e, praticando o domínio mental, une-se com o Eu Real, passa para o estado da Paz e Bem-aventurança que só em Mim se encontram.

16. Porém, a união mística com a Divindade não é atingível para aquele que é comilão, nem para quem jejua demasiadamente, nem para o dorminhoco, nem para quem se debilita por demasiadas vigílias. Quem quer ser yogī, há de evitar os extremos e seguir o dourado caminho do meio.

17. A ciência yogī, que destrói o sofrimento, é realizável para os que observam moderação e temperança em comida e recreio, em ação e descanso; para que aqueles que, fugindo do mal do excesso em ação, não caem no mal oposto do excesso em repressão.

18. Quando um homem tem o pleno domínio de si mesmo, e mantém a sua mente fixa no Eu Real, e não

anseia nenhum objeto desejável, merece o nome de *yukta*, "cheio de graça".

19. A sua mente tornou-se estável e firme, como a chama da lâmpada que está colocada num lugar ao qual o vento não tem acesso.

20. A mente do yogī se deleita na contemplação do Eu Real e acha no seu interior o contentamento e a felicidade.

21. Cheio de indizíveis delícias, inerentes às esferas espirituais que se estendem além dos sentidos, o yogī permanece firme na contemplação da Verdade.

22. Ele sabe que não há coisa melhor, nem maior satisfação, do que esse estado de Paz inabalável, que resulta do Conhecimento da Realidade; nada lhe pode perturbar essa Paz e esse contentamento, nem os maiores sofrimentos, dores e cuidados da vida mundana, porque está acima deles.

23. A ausência de sofrimentos, dores e cuidados chama-se *Yoga, União Espiritual*. Esse *Yoga* deve ser iniciando com firme convicção e praticado com alegre disposição mental.

24. Atirando longe de ti os vãos desejos da imaginação e dominando por meio da mente, iluminada e guiada pelo Espírito, as inclinações dos sentidos, chegarás, passo a passo, à tranquilidade e calma.

25. Quando a mente se fixou uma vez no Eu Real, acha insensato peregrinar por qualquer outra coisa.

26. Se tua mente não atingiu ainda o necessário grau do domínio das paixões e impressões, anda para cá e para lá, desviando-se do seu Objetivo Supremo, sê vigilante e refreia-a pela força da vontade concentrada, reconduzindo-a sempre ao Alvo.

27. O homem, cujo coração encontrou a Paz que não admite nenhum movimento de paixão, e tornou-se livre daquilo a que se chama pecado, venceu os erros e entrou no reino da Verdade.

28. O yogī, que atingiu assim a Unidade Eterna e cessou de pecar, goza a harmonia da Vida Una e as delícias da união com Deus.

29. Ele, cuja alma se uniu assim a Deus, em Deus, e Deus em todas as almas, vê tudo em Deus.

30. Em verdade te digo que aquele que Me vê em tudo e todo o Universo em Mim, nunca Me abandonará e nunca será por Mim abandonado. Para sempre estará ligado a Mim pelos laços preciosos do Amor.

31. Quem Me reconhece em todos os seres, ama-Me e comigo se une, participa da vida eterna do Meu Ser, qualquer que seja o seu modo de vida exterior neste mundo.

32. O verdadeiro yogī, ó Arjuna, é aquele que chegou, pela iluminação interior, a saber que uma só Essência penetra toda a vida e todas as coisas, e mantém o ânimo constante em todas as vicissitudes da vida,

reconhecendo a necessidade de equilíbrio entre o prazer e a dor na Natureza."

Arjuna:

33. "Eu não posso achar firmeza, ó Herói valente, nessa submissão, nessa resignação e nesse domínio da mente, de que falas. Eu sei que a mente e o coração são instáveis, inquietos, turbulentos, vacilantes, obstinados e insubmissos à vontade.

34. Parece que dominar o coração ou a mente em suas inclinações e seus pensamentos é tão difícil como reter um forte vento".

Krishna:

35. "Tens razão, dizendo que é muito difícil dominar a mente, porque é instável e inclina-se ora para um ora para outro objeto; entretanto, quem fortaleceu a sua vontade por meio de exercícios e disciplina, pode ser senhor de seu coração, senhor de sua mente.

36. É verdade que o Yoga (União Espiritual) é coisa dificílima para quem tem a mente descontrolada, mas é acessível para quem tenha a mente dominada.

37. *Arjuna*:

"Qual é, porém, a sorte daquele, ó Mestre, que está cheio de fé, mas não atinge a perfeição em Yoga, porque não domina a sua mente, que se afasta do caminho da disciplina?

38. Perecerá, talvez, como uma nuvem despedaçada pelos ventos? Será ele reduzido a nada, sendo repelido tanto deste mundo, como do mundo superior, porque caminha, incerto e inexperiente, pela senda que conduz ao Brahma, ao Absoluto?

39. Responde-me, ó Divino, porque tu, unicamente, podes dar-me explicação satisfatória e dissipar as minhas dúvidas."

Krishna:

40. "Não, meu caríssimo, não perecerá o homem em tais condições; não será aniquilado nem neste mundo, nem nos vindouros. A fé o mantém vivo, a sua bondade preserva-o da aniquilação. Não se perde nunca quem vive honestamente e em Mim confia.

41. A alma, cuja devoção e fé, acompanhadas de boas obras, carecem da aquisição da perfeita disciplina, depois da morte do corpo, vai habitar o céu dos justos que ainda não atingiram a Perfeição[2]. Ali fica gozando felicidade por inúmeros anos, mas, depois, reencarna-se em casa de um homem bom e nobre, nas condições adaptadas ao seu desenvolvimento e adiantamento.

42. Pode nascer, nessa nova encarnação, como filho de um yogī adiantado, se bem que tal nascimento seja difícil obter-se neste mundo, atrasado moralmente.

---

2   Os teósofos hindus chamam a esse céu de *devakhan* (morada dos deuses).

43. Na sua nova existência, o homem recupera novamente toda a organização espiritual que tinha adquirido na vida passada, e, assim, fica preparado para continuar os estudos e as tarefas que conduzem à Perfeição.

44. Com a morte, não se perde nada daquilo que a alma adquiriu. As experiências que o homem fez nas vidas passadas tornam-se instintos e incitam-no ao progresso, até inconscientemente. Mesmo quem só tivesse desejado conhecer *Yoga*, recupera esse desejo, e com o decorrer do tempo transcende os liames da matéria.

45. Trabalhando com paciência, perseverança e aplicação, sendo livre dos erros e plenamente desenvolvido pelas experiências, ganhas em suas múltiplas encarnações, o yogī chega ao alvo procurado, à Paz e à Meta Suprema.

46. Como vês, yogī é aquele que procura a Verdade e, confiando na Justiça da Lei Absoluta, sempre faz o melhor que pode. É maior do que um asceta ou fanático que procura obter mérito, impondo-se penas e martírios voluntários a si mesmo. É superior aos eruditos e aos que praticam boas obras com desejo de recompensa.

Sê, pois, ó Arjuna, também um yogī, cheio de fé e bondade!

47. De todos os yogīs, Eu prefiro, porém, aquele que Me adora com fé e a Mim dedica o interior da sua alma; aquele cujo coração transborda Meu Amor e cuja mente sempre sente a minha presença e, com ela, a Paz Suprema."

Capítulo VII

Vijnana-yoga — discernimento espiritual

Neste e nos cinco capítulos seguintes, expõe-se a doutrina de Krishna e a melhor maneira de praticar Raja-Yoga. Esta parte trata do conhecimento espiritual, isto é, do despertar da consciência da Divindade no homem. Deus é Amor e, por conseguinte, só se pode obter a consciência da Divindade pela força do Amor Divino.

Krishna, O *Verbo Divino*, continua:

1. "Escuta as minhas palavras, ó Arjuna, para saberes como verdadeiramente e sem dúvida Me conhecerás, se fixares em Mim a tua mente e em Mim descansares o teu coração.

2. Eu te instruirei na sabedoria maravilhosa dos homens e dos deuses, sem reserva nem restrição; aprendendo esses ensinos, adquirirás o saber perfeito, e saberás tudo o que pode ser sabido por um homem.

3. Poucos são os homens que, no meio dos milhares da raça, têm suficiente discernimento para desejar chegar à Perfeição. E, desses poucos, tão raros são os que a procuram com sucesso, que se acha apenas, cá e lá, alguém que Me conhece em minha natureza essencial.

4. Em minha natureza, há oito formas elementais, conhecidas como: terra, água, fogo, ar, éter, mente, razão e consciência individual.

5. Mas além dessas formas da minha natureza material, possuo uma natureza espiritual, superior e mais nobre: é o Princípio que vivifica e sustenta o Universo.

6. Sabe que os elementos de que falei são a matriz de toda a criação. Eu, porém, sou a fonte de que toda a criação provém e à qual tudo volta: Eu sou o Princípio da criação e da dissolução do Universo.

7. Acima de Mim, não há nada. Todos os objetos do universo dependem de Mim e por Mim são sustentados, assim como as pérolas dependem do fio que passa por elas todas, unindo-as e sustentando-as.

8. Eu sou o líquido da água; Eu sou a luz do sol e da lua; Eu sou a sílaba sagrada AUM[1]; Eu sou o cântico dos livros sagrados; Eu sou a harmonia dos sons que vibram no éter; Eu sou a virilidade dos homens.

9. Eu sou o perfume da terra e o esplendor do fogo; Eu sou a vida de todos os vivos; Eu sou o yoga dos yogīs, a santidade dos santos.

---

1 AUM é o símbolo do Ser Supremo. *A* simboliza o Criador ou Pai; *U*, o Conservador, Salvador ou Filho, e *M*, o Destruidor, Renovador ou Espírito Santo.

10. Eu sou a semente eterna e imortal de todos os seres. Eu sou a sabedoria dos sábios, a razão dos racionais, a glória dos gloriosos, a nobreza dos nobres.

11. Eu sou a força dos fortes, livres de toda avidez e paixão. Eu sou o amor puro em todos os seres, que não pode ser proibido por lei alguma.

12. As três qualidades da minha natureza: a harmonia, a atividade e a inatividade, as quais também se manifestam como a luz da verdade, o desejo da paixão e as trevas da ignorância, em Mim têm o princípio e estão em Mim, mas Eu não dependo delas[2].

13. O mundo dos homens, achando-se sob o domínio da ilusão dessas três qualidades da natureza, não compreende que Eu sou superior a elas, e mantendo-me intacto e imutável no meio dos inúmeros acontecimentos e mudanças.

14. Essa ilusão é muito forte, e tão denso é o seu véu que é difícil aos olhos humanos penetrá-lo. Só aqueles que a Mim se dirigem e se deixam iluminar pela chama que está detrás da fumaça vencem a ilusão e chegam até Mim.

15. Malfeitores e tolos não Me procuram, nem aqueles que nutrem pensamentos baixos; nem aqueles que veem, no vasto espetáculo da natureza, somente o jogo das forças, sem diretor; nem aqueles que extinguiram em si a centelha da vida espiritual e se tornaram plenamente materiais.

---

2   Deus é superior à natureza; a natureza não é Deus, mas é uma manifestação da força Divina. Deus está na natureza, mas não se limita a ela.

16. Há quatro classes de pessoas que a Mim se dirigem: os infelizes, os que investigam a verdade, os bondosos e os sábios.

17. De todos eles, ó Arjuna, os sábios são os melhores, porque Me reconhecem como o Ser Uno, e incessantemente a Mim dedicando a sua vida, amam-Me sobre tudo, e Eu os amo com o mais intenso amor.

18. Todos os que Me adoram são bons e todos a Mim chegarão; mas o sábio que se Me entrega todo, sujeitando-se em tudo à minha vontade, é como o meu próprio Eu, repousando em Mim, que sou o seu alvo final.

19. Depois de muitas vidas, em que acumulou sabedoria, vem o Sábio a Mim e, realizando a sua União comigo, compreende que o homem perfeito é idêntico ao universo[3]. Poucos há que chegaram a esse grau de adiantamento.

20. Os outros, por falta de conhecimento, impelidos a esta ou aquela divindade, com vários ritos e cerimônias, vão a outros deuses. Todos acham o que procuram, cada um de acordo com a sua natureza.

21. Hás de saber, entretanto, ó Arjuna, que a verdade, apesar de ser desconhecida pelos fanáticos e intolerantes, é esta: que, ainda que os homens adorem vários deuses e várias imagens, e tenham diferentes concepções

---

[3] O homem perfeito é chamado, nas Escrituras Sagradas de *Vāsudeva*, Filho do Homem.

da divindade adorada, e até pareçam as suas ideias ser contraditórias entre si, toda a sua fé se inspira em mim.

22. A fé que eles têm em seus deuses e imagens não é senão o alvorecer da fé em Mim; adorando essas formas e concepções, eles querem adorar a Mim, sem o saberem. E, em verdade te digo, eu aceito e recompenso essa fé e adoração, uma vez que seja honesta e conscienciosa. Esses homens fazem o melhor que podem, conforme o estado de seu desenvolvimento, e receberão os benefícios que procuram, conforme a sua fé; todo benefício, porém, emana de Mim. Tal é o meu Amor, a minha Razão e a minha Justiça.

23. Mas lembra-te, ó príncipe, que as recompensas desses desejos momentâneos, finitos, perecíveis, são igualmente de pouca duração. Os homens que adoram os deuses inferiores, as caricaturas e sombras imperfeitas da Divindade, vão aos mundos de sombra, governados por esses deuses-sombras. Mas aqueles que são sábios e capazes de Me conhecer como Sou, Um e Tudo, vêm a Mim, ao meu mundo de Realidade, onde não há sombras, onde tudo é real, até mesmo a chama que faz a sombra desaparecer.

24. Entre os homens, há muitos que, faltando-lhes o discernimento, pensam de Mim (o Imanifesto em essência), como se Eu fosse manifesto e visível a seus olhos. Sabe, porém, ó Arjuna, que, em minha essência, não sou manifesto ou visível aos homens.

25. Detrás das minhas formas emanadas, Eu permaneço indescobrível e invisível ao ignorante. Inato e imortal sou Eu, mas o mundo obscurecido pela ilusão não o discerne, pensando que a sombra é a substância.

26. Eu bem conheço todos os inumeráveis seres que existiram no vasto universo, em todas as épocas passadas; igualmente conheço todos os que existem presentemente; e, além disso – grande mistério para os homens, ó príncipe! – conheço todos os que, no futuro, hão de aparecer no campo da existência. Mas de todos os seres, passados, presentes ou futuros, nenhum Me conhece plenamente. Eu os tenho todos em minha mente, mas a mente deles não pode conter-Me em minha essência.

27. Os seus olhos vivem enganados pela dualidade dos contrastes, ó Arjuna e, em vez da Unidade, veem as formas opostas e de gosto e desgosto, simpatia e antipatia, desejo e aborrecimento.

28. Porém, não são todos assim; há um pequeno número de homens que se libertaram dessa ilusão da dualidade dos contrastes, vencendo o egoísmo e os pecados. Estes Me conhecem como Um e Tudo e, firmes em sua vontade, constantes em seu amor e sua devoção, comigo se unem e a Mim pertencem.

29. Os que em Mim se refugiam e a Mim pertencem, repousando em Mim como a criança no seio da mãe, esforçam-se por se libertar dos vínculos da mortalidade e

reconhecem-Me como Brahma, como o Eu Real, o Infinito, O Eterno, o Absoluto.

30. Eles sabem que Eu sou *Adhyātman* (a alma das almas), *Karma* (a Lei da causalidade), *Adhibhūta* (Princípio universal de vida), *Adhidaiva* (Deus dos Deuses, a Divindade suprema) e *Adhiyajna* (o Supremo Sacrifício). Quem assim Me conhece, e com o coração cheio de amor e com a mente firme em Mim pensa, na hora da morte comigo se unirá para sempre."

Capítulo VIII

akshara parabrahma yoga — o caminho para a divindade suprema

Deus está sempre presente em tudo, vivificando e iluminando todos os seres. Quem se deixa iluminar pelos raios da Sabedoria, torna-se sábio; a Sabedoria Divina nele é uma força viva que o conduz ao conhecimento da Imortalidade.

Então dirigiu *Arjuna* ao Mestre Divino as seguintes perguntas:

1. "Dize-me, ó Imortal: Que é Brama? Que é Adhyātman? Que é Karma? Que é Adhibhūta e Adhidaiva?

2. Como pode, ó Fortíssimo Herói, Adhiyajna (o Supremo Sacrifício) estar neste corpo, e como podem conhecer-Te na hora da morte aqueles que a Ti se dedicaram?"

Explica o *Verbo Divino*:

3. "*Brahma*, o Criador, é o Ser Supremo, o Ser Indiviso, simples e eterno. A sua essência chama-se *Adhyātman*, Alma das almas. Eu mesmo sou *Brahma*. De Mim emana a Alma das almas, a vida universal, a vida una do universo. *Karma*, a Lei da causalidade, e que chamam também Essência da ação, é aquele princípio da minha emanação que faz com que os seres vivos nasçam, se movam e ajam.

4. *Adhibhūta*, o princípio universal de vida, não é senão a minha Vontade manifestada nas leis naturais do universo. *Adhidaiva*, a suprema divindade, é o Espírito, cuja atividade perpétua produz a geração dos seres e das formas. *Adhiyajna*, o Supremo Sacrifício, é o meu aparecimento em corpo; esse mistério torna-se claro só àqueles que são capazes de compreender os ensinos superiores[1].

5. Quem, na hora da morte, em Mim fixa o pensamento, entra, depois de ter deixado o corpo, diretamente em minha Divina Essência.

6. Aquele, porém, que, na hora da morte, não pensou em Mim, mas dirigiu todos os pensamentos a um outro ser[2], depois da morte a esse ser se une. Porque cada um chega a ser o que desejou ser; o semelhante atrai o semelhante.

---

1 Deus que, em sua essência, é não manifesto, invisível, imaterial, assume forma humana; como a Luz penetra as trevas e as transmuta em luz, assim a Divindade penetra a humanidade, para torná-la divina. Esse é o Supremo Sacrifício.

2 Há seres de natureza espiritual ("*devas*" ou "deuses") que, para nós, são invisíveis; o espírito humano pode entrar em relação com eles, se a eles dirige firmemente a sua vontade e o seu pensamento.

7. Dirige, pois, a Mim todos os teus pensamentos e luta. Se a tua mente e o teu coração em Mim firmemente fixares, com certeza, enfim, a Mim chegarás.

8. Quem, abandonando todos os desejos pessoais, não tem a mente concentrada em nenhum outro ser, mas no Espírito Eterno, praticando o Reto Pensar e a Reta Ação, ao Espírito Eterno virá.

9. Quem, com a mente elevada e cheia de fé e amor, pensa em Mim, o Eterno, o Onipresente, Onisciente e Todo-Poderoso; quem sabe que Eu sou, ao mesmo tempo, infinitamente pequeno e infinitamente grande, impalpável, o Senhor e sustentador de tudo; quem, com a visão espiritual, percebeu a majestade da minha face, eternamente velada ao olho material, e mais resplandecente do que o sol ao meio-dia,

10. Esse participa da vida verdadeira e, na morte, se torna imortal; porque o seu espírito, tendo rompido todos os vínculos, entra em minha Vida, em minha Paz e em minha Essência.

11. Quero descrever-te, em poucas palavras, o caminho ao Espírito Eterno, a que as Escrituras Sagradas chamam o caminho para a imortalidade. Esse caminho é seguido por todos os que dominaram a si mesmos e se libertaram das paixões, e é escolhido por aqueles que se dedicam a uma vida santa, de continência, ascetismo, estudo das verdades divinas e meditação.

12. Ouve as instruções: fecha bem as portas dos teus sentidos corporais. Domina o teu coração, concentra a tua mente sobre o teu Eu interior, e não a deixes vaguear no exterior, nem ocupar-se com os pensamentos estranhos.

13. Sê constante e firme em teu propósito, e repete silenciosamente a mística palavra AUM, cujos três sons ou letras são símbolos do Ser Supremo, como Criador, Conservador e Destruidor. Se assim te comportares, quando chegar a hora de deixares o teu invólucro corpóreo, entrarás no caminho da Suprema Ventura.

14. O yogī que pensa em Mim incessante e fixamente, ó príncipe, e nunca se apega com os seus pensamentos a qualquer outro objeto, com facilidade Me achará[3].

15. Todos os nobres e elevados espíritos que se uniram Comigo não precisam mais renascer na terra, neste lugar de sofrimentos e limitações. Não, eles não têm mais necessidade de voltar a esta escola de vida, porque já atingiram a esfera da Perfeita Sabedoria, Suprema Ventura e Vida Imperecível.

16. Todos os mundos e universos[4], mesmo o mundo de Brahma, onde um dia é igual a mil *yugas*[5], e a noite da

---

3 Isso não quer dizer que não devamos ocupar-nos com os negócios e objetos exteriores, mas que devemos, qualquer que seja a nossa ocupação, fazer tudo com boas intenções e sem nunca nos esquecermos da divina origem e do divino alvo da nossa vida.

4 Os hindus distinguem sete mundos (*lokas*) ou planos espirituais, a saber: 1 – *bhūr-loka* (o mundo físico); 2 – *Antariskshaloka* (o mundo astral); 3 – *Svar-loka* (Devachan, o céu); 4 – *Mahar-loka* (o mundo das almas elevadas); 5 – *Jana-loka*; 6 – *Tapas-loka*; 7 – *Satya-loka*. Esses três últimos chamam-se *Brahmalokas*, mundos Divinos. O sétimo é o mundo da Realidade, Verdade Absoluta (*satya* – verdade).

5 Um *Mahāyuga* dura 4.320 mil anos solares.

mesma extensão, todos hão de passar. Mas, ainda que passem e se renovem e de novo passem, não há necessidade de volta para a alma do sábio que se uniu a Mim.

17. Aos dias de Brahma sucedem as noites de Brahma; a sua duração é enorme, pois conta-se em milhares de séculos.

18. No princípio de cada dia bramânico, emergem todas as coisas da invisibilidade e fazem-se visíveis; quando, porém, começa a noite bramânica, todas as coisas visíveis dissolvem-se e tornam a ser invisíveis.

19. Essa multidão de seres, tendo existido antes, manifesta-se com o despontar do novo dia, e desaparece necessariamente ao chegar a noite, para ressurgir com o alvorecer do novo dia seguinte.

20. Isso porque acima desta natureza visível e invisível existe o que se chama o Imanifesto, o Imperecível.

21. Nesse supremo caminho, ó príncipe, chega-se ao Brahma, que é o Imanifesto e Indestrutível; e quem o atingiu, não o perderá nunca mais; esta é a minha morada suprema.

22. A suprema Essência, em que todas as coisas têm o seu ser, e pela qual todo este universo foi criado, pode ser encontrada só pelo espírito purificado, submisso à Vontade Suprema, desapegado de tudo o que não é divino.

23. Agora vou esclarecer-te sobre as condições que determinam se os que passaram pela porta da morte hão de renascer, ou se não voltam mais à terra.

24. Aqueles que desencarnam quando neles arde o fogo do amor divino, iluminados pela luz do verdadeiro conhecimento que distribui o sol da sabedoria, conhecem o Espírito Supremo e com Ele se unem; esses não são obrigados a renascer.

25. Aqueles, porém, que desencarnam no meio da fumaça dos erros, na noite da ignorância, não podem ultrapassar a região da Lua[6] e hão de voltar à esfera da mortalidade e ir renascendo até que adquiram o grau necessário de amor e de saber.

26. Esses dois caminhos são denominados os caminhos eternos do mundo: um é claro, o outro é escuro. Pelo primeiro chega-se à esfera da qual não volta mais; o segundo vai até certa altura e volta para trás.

27. O verdadeiro yogī, o homem que se dedica todo à Divindade, sabe isso e não tem medo.

Aperfeiçoa-te, pois, em yoga, e esforça-te por atingir o Saber Perfeito.

28. Os frutos desse Saber, ó Arjuna, são superiores a tudo o que se pode alcançar pelo estudo das Escrituras Sagradas, pelos ritos e sacrifícios, pelas austeridades e pela distribuição de esmolas. O yogī que possui o Saber Perfeito alcançou o Alvo Supremo".

---

6   Isto é, a região astro-mental ou de *Kāma-Manas*.

Capítulo IX

Rāja-vidyā — rāja-guhya yoga — a sublime Ciência e o soberano Segredo

A quem tem a verdadeira fé, inabalável esperança e o divino amor, pode ser comunicada a mais sublime Ciência e revelado o Soberano Segredo, que é a presença Divina na Humanidade.

Fala o *Verbo Divino*:

1. "A ti, ó Arjuna, cujo coração está livre de contradição, ensinarei agora a misteriosa ciência suprema, a Ciência dos Reis[1] e o Real Segredo[2], cujo conhecimento te tornará para sempre livre do mal e da desventura.

---

1 *Rāja-vidyā*.
2 *Rāja-guhya*.

2. Esta ciência é o mais alto conhecimento, o mais profundo mistério, o perfeito Purificador, compreensível pela intuição, eterna, infalível e facilmente praticável.

3. Aqueles que não a possuem, não podem chegar a Mim e, por isso, depois de desencarnados, voltam a se reencarnar neste mundo.

4. Todo este universo, tanto em suas partes, como em sua totalidade, é uma emanação minha, e Eu o penetro com minha natureza invisível, Eu que sou o Imanifesto.

Todas as coisas de Mim provém, mas Eu não tenho origem nelas; em Mim estão todas as coisas, mas Eu – em minha Divindade – não estou circunscrito por elas.

5. Não penses que todas as coisas sejam Eu mesmo. Eu sou o sustentador de tudo, penetro tudo, mas não sou limitado nem encerrado nisso.

6. Como o vasto volume de ar, em toda a parte presente e em constante atividade, é sustentado e contido dentro do éter universal, assim todas as coisas em Mim estão, no Imanifesto. Pondera bem, ó Arjuna, sobre este mistério.

7. No fim de um *Kalpa*[3], todos os seres e todas as coisas refluem em minha natureza imaterial e, no princípio de outro *Kalpa*, torno a emanar de Mim todas as coisas e todos os seres.

---

3 Um *Kalpa*, período de atividade criadora, é um dia de Brahma, que dura 4.320.000.000 de anos solares. Corresponde ao que os teósofos chamam de uma *Cadeia Planetária*.

8. Por meio da minha Natureza material, emano todas as classes de seres e coisas que constituem o universo, dando-lhes nova existência: a minha Vontade os vivifica; a Natureza por si mesma é impotente para fazê-lo.

9. Mas todas estas obras, ó príncipe, não Me alteram e não Me limitam; sou superior e indiferente a elas.

10. Obedecendo à Minha Vontade, a Natureza cria e destrói, produzindo os seres animados e inanimados: eis a razão pela qual o universo se move.

11. Os que carecem da verdadeira Luz espiritual desprezam-Me, quando apareço em forma humana, porque desconhecem a minha verdadeira natureza e ignoram que sou o Senhor Supremo do Universo.

12. Vaidosos são eles em suas esperanças, egoístas em suas ações, tolos em seu saber e sem conhecimento da Verdade, vivendo nos planos inferiores da consciência, onde a malícia, a brutalidade e o engano dominam.

13. Mas os homens iluminados, que têm desenvolvido a sua natureza superior, participam do meu Ser Divino e adoram-Me com o ânimo sincero, com a dedicação completa dos seus corações, porque Me reconhecem como a Infinita e Eterna Origem de tudo.

14. Tendo vivo conhecimento do meu Poder, com seriedade Me procuram, com vontade firme, fé inabalável e coração puro Me adoram, nunca se desviando do caminho que a Mim conduz.

15. Outros Me adoram pelo sacrifício de conhecimento, contemplando em todas as coisas a minha Unidade e minha Natureza indivisível.

16. Eu estou presente em toda adoração; sim, Eu mesmo sou a adoração; Eu sou o sacrifício, a oblação e os perfumes sacrificiais; Eu sou a prece e a invocação; Eu sou o fogo que consome o sacrifício.

17. Eu sou o Pai do Universo e igualmente a Mãe; Eu sou a Origem e o Conservador de tudo. Eu sou o objeto do verdadeiro conhecimento; Eu sou a palavra mística AUM; Eu sou o *Rig, Sāma* e *Yajur-Veda*[4].

18. Eu sou o Caminho, o Criador e o Sustentador, o Juiz e a Testemunha, o Abrigo e a Morada, o Amigo, o Princípio e o fim, a Criação e a Destruição, o Espaço e o Conteúdo, o Semeador e a Semente Eterna que dá frutos perpetuamente.

19. Eu produzo o calor e a luz do Sol; Eu mando e retenho a chuva; Eu sou a Morte e a Imortalidade; e, não obstante, sou Um e sempre o mesmo.

20. Os que seguem as prescrições dos *Vedas*, oferecendo muitos sacrifícios, bebendo o *Soma*[5] sagrado e purificando-se dos pecados, e imploram o caminho do céu, serão admitidos

---

4 Isto é, toda a ciência.
5 *Soma* é a bebida sagrada dos brâmanes, extraída de uma planta rara; corresponde à ambrosia ou néctar dos gregos e à Eucaristia dos cristãos.

no céu de Indra[6] e ali obterão o alimento celeste e gozarão os prazeres dos deuses.

21. Quando, porém, tiverem passado nesse estado de delícias tanto tempo quanto mereceram pelas suas boas obras, hão de voltar a esta terra e renascer neste mundo terrestre; porque ainda que tenham seguido as prescrições dos Livros Sagrados, eram observadores de formalidades e não chegaram ao conhecimento do Eterno. Dedicaram-se ao que é transitório e, por isso, é transitório o efeito da sua devoção.

22. Mas quem a Mim unicamente adora e em Mim procura o refúgio, lhe darei a Ventura imperecível.

23. Entretanto, não te esqueças, ó caríssimo, de que mesmo aquele que adora outros deuses, porque não Me conhece, a Mim adora, sem o saber. Se ele assim faz com fé e amor, Eu aceito a sua adoração e o recompenso segundo seu merecimento.

24. Pois Eu sou o Senhor de todos os sacrifícios, e recebo-os todos. Mas aqueles que não Me conhecem em verdade, não podem chegar a Mim, e, por isso, hão de caminhar de renascimento em renascimento.

25. Cada um chega ao objeto de sua devoção. Os que adoram os antepassados, com eles morarão. Os que

---

6 O céu Indra é o mais alto dos céus onde, porém, ainda há a ilusão da separabilidade dos seres, e por isso, não pode ser o estado perfeito e eterno. Também ali há mocidade e velhice, isto é, as forças espirituais exaurem-se, o espírito entra em inconsciência e torna a reencarnar-se nesta terra ou em algum outro planeta.

adoram os espíritos inferiores, à sua esfera irão. E aqueles que adoram a Mim, em minha Essência, comigo se unirão.

26. Sabe também, ó Arjuna, que Eu aceito toda a oferenda que se Me faça com amor: seja uma folha, uma flor, uma fruta ou apenas gotas de água. Eu não olho o valor da oferenda, mas olho o coração de quem a faz.

27. Por isso, qualquer coisa que faças, quer comas ou bebas, quer recebas ou dês, quer jejues ou ores, sempre pensa em Mim e oferece tudo a Mim.

28. E oferecendo a Mim todas as tuas ações, serás livre dos vínculos da ação e das suas consequências. A tua mente torna-se, assim bem equilibrada e harmonizada, e capaz de unir-se a Mim.

29. A todos os meus filhos no mundo, a todos os viventes, eu olho com igual amor e simplicidade. Todos Me são igualmente caros; não repilo a ninguém e a ninguém prefiro. Porém, aqueles que Me adoram e a Mim se dedicam, esses estão em Mim e Eu neles.

30. Se um grande pecador a Mim se dirige e Me dedica o amor de sua alma, é digno de louvor, porque procura a verdade.

31. Em breve ele encontrará o caminho da retidão e, trilhando-o com perseverança, alcançará a Paz Eterna, pois Eu não abandono a nenhum dos que Me adoram em verdade.

32. Cada um que a Mim se dirige acha em Mim o refúgio, e anda pelo soberano caminho, mesmo que nascido de família pecadora, seja homem ou mulher, rústico ou peão.

33. Tanto mais os santos brâmanes e os pios reis-sábios! Compreende isso, ó príncipe, e considera esta terra como uma morada passageira, transitória.

34. Conhece-Me, adora-Me, fixa em Mim a tua mente e sem distração une a tua vontade à Minha, e nessa união encontrarás a mais perfeita felicidade da tua vida."

Capítulo X

Vibhuti-yoga — a Excelência Divina

Deus não é diferentes coisas, mas Tudo em tudo. Ele é a Unidade de que procedem todos os números; Ele é, em tudo, o verdadeiro fundamento e a verdadeira essência. Em si mesmo imutável, manifesta-se de variadíssimos modos, conforme os pontos. Dele não podemos dizer que seja, em si mesmo, perfeito ou imperfeito, bom ou mau, porque Ele é a própria Perfeição e a própria Bondade; em todas as coisas, Ele é o mais perfeito Ser.

O Verbo Divino continua:

1. "Ouve, ó forte Herói, a doutrina mais importante que te quero expor, porque a minha palavra te alegra e porque quero o teu bem.

2. Não conhecem a minha origem nem os anjos, nem os deuses, nem os grandes espíritos, nem os adeptos ou outros homens adiantados no saber; porque Eu sou a origem deles todos.

3. Quem se adiantou em sabedoria, tanto que Me conhece como Ser Infinito, sem princípio e sem fim, o Senhor do Universo, esse anda sem pecado, sem ilusão e sem erro, no meio dos mortais.

4. Sabe que de Mim procedem todas as qualidades dos seres individuais, como: a razão, o conhecimento, a sabedoria, paciência, verdade, clemência, domínio de si próprio, tranquilidade, prazer e dor, nascimento e morte, coragem e medo.

5. Igualmente: a inocência, equanimidade, abstinência, contentamento, afabilidade, caridade, severidade, glória e modéstia.

6. De Mim tiraram origem os sete grandes Rishis ou reis-sábios, os quatro patriarcas[1] e os Manus[2]: todos foram emanados da minha Mente, e deles proveio o gênero humano.

7. Quem conhece esta minha soberania e a minha força mística, sem dúvida é dotado de infalível e inteligente fé e devoção.

---

1 Os quatro patriarcas são os quatro espíritos emanados de Brahma; *Sanat-kumāra, Sanaka, Sanātana* e *Sananda.*

2 *Manus* são os chefes e legisladores de uma raça.

8. Eu sou a Origem de tudo. O universo inteiro de Mim emana. Os sábios, que são Minha imagem e semelhança, conhecendo esta verdade, dirigem-se a Mim com adoração.

9. Conservando-Me sempre em suas mentes, e fazendo a sua vida confluir com a minha, glorificam-Me constantemente, regozijam-se e são felizes. Eu, de contínuo, os ilumino e inspiro, e eles instruem uns aos outros e, com a luz do seu espírito, dissipam as trevas e a ignorância do mundo exterior.

10. A todos os que Me oferecem o coração, Eu sou a ciência do discernimento e intuição, para chegarem até Mim.

11. Residindo no centro das suas almas, faço-os sentir a Minha misericórdia, o Meu Amor, e espalho dali os raios do verdadeiro conhecimento, cuja luz dissipa as trevas oriundas da ignorância."

Exclama *Arjuna*:

12. "Em verdade, Tu és Parabrahm, o Senhor Supremo! Os deuses, anjos e sábios reconhecem-Te como o Refúgio universal, a mais elevada Morada, Eterno Criador, Ser Absoluto Puríssimo, Onipotente, Onisciente, Onipresente!

13. Assim Te chamam os sábios, e Tu mesmo o confirmaste falando a mim. E eu Te creio em tudo e sem reserva, ó Senhor Abençoado!

14. A Tua presente manifestação encarnada, a Tua presença em forma terrestre é um grande mistério, que

não compreendem nem os deuses, nem os anjos, nem os espíritos adiantados de todos os mundos.

15. Só Tu, único, Te compreendes, ó Fonte da vida, ó Senhor Supremo do universo inteiro, Deus dos deuses, Governador de Tudo o que é, foi e será!

16. Eu, Teu indigno discípulo, rogo-Te: podes me esclarecer a respeito das Tuas perfeições divinas e dizer-me com que misteriosa força penetras todos os mundos e, no entanto, permaneces imutável em Ti mesmo?

17. Como poderei eu chegar a conhecer-Te? Como devo pensar em Ti? Como meditar em Ti, se não conheço a Tua forma própria?

18. Fala-me mais ainda, e mais extensamente, do Teu misterioso Ser, das Tuas forças, dos Teus poderes e formas de manifestação, ó Senhor dos mundos! Eu tenho sede de ouvir as Tuas imortais palavras, como quem há muitos dias não bebeu água. Refrigera-me com os Teus ensinos, ó Mestre inigualável!"

O *Verbo Divino*:

19. "Ouve, meu caríssimo! Descrever-te-ei as principais das minhas divinas características e manifestações; só as principais, porque sabes que o Meu Ser e a Minha Natureza essencial são infinitos; as Minhas manifestações e Minhas forças não têm limites.

20. Eu, ó príncipe, sou o Espírito que reside na consciência de todos os seres, e cujo reflexo é conhecido por

todos como o 'Eu' (ou Ego). Eu sou o princípio, o meio e o fim de todas as coisas.

21. Entre as Ādityas (Deuses planetários), sou Vishnu (Deus Conservador); entre os sóis brilhantes, sou o Sol Supremo; entre os ventos, sou Marīci (Deus dos ventos); entre os astros, sou a Lua.

22. No *Vedas*, sou o *Sāma-Veda* (livros de hinos sagrados); entre os deuses védicos, sou Indra (o Rei dos deuses); entre as faculdades, sou a Razão e, nos seres vivos, sou a Vida.

23. Entre os aniquiladores, sou Shankara (o Destruidor); nos gigantes, sou a Grandeza; nos seres elementares, sou o Elemento; entre os montes, sou Meru (a Montanha Santa).

24. Entre os sacerdotes, sou o Sumo Pontífice; entre os generais, sou Skanda (deus da guerra); entre as águas, sou o Oceano.

25. Entre os sábios, sou a Sabedoria; entre as palavras, a sílaba AUM. Entre os sacrifícios, sou a elevação do espírito. Entre as montanhas, sou o Himalaia.

26. Entre as árvores, sou a figueira sagrada (a árvore da vida). Entre os iluminados, sou a luz; na música das esferas, a harmonia; nos santos, a Santidade.

27. Entre os cavalos, sou Uccaihshravas, o cavalo de Indra (símbolo da poesia), que nasceu de *Amrita* (água da imortalidade). Dos elefantes, sou Airavata (símbolo de sabedoria e grandeza), e entre os homens, o Governador.

28. Das armas, sou o raio, e *Kāma-dhuk* (símbolo da fertilidade) entre as vacas. Entre os amantes, sou o Amor; entre as serpentes, sou Vāsuki (rei das serpentes, símbolo do saber).

29. Entre os dragões, sou Ananta (símbolo da inteligência); entre os seres aquáticos, sou Varuna (deus da água); entre os Pitris (antepassados), sou Aryaman (o seu chefe), e dos juízes, sou Yama (o juiz dos mortos).

30. Sou Prahlāda entre os Daityas[3]; tempo entre suas medidas; leão entre as feras, e águia entre as aves.

31. Entre os purificadores, sou o puro ar; entre os guerreiros, sou Rama (poderoso conquistador); entre os peixes sou Makara (o sagrado crocodilo); entre os rios, sou o Ganges (o rio sagrado dos hindus).

32. De toda a criação, Eu sou o princípio, o meio e o fim. Das ciências, sou a ciência do Espírito e o verbo dos oradores.

33. Das letras, sou o A; nas palavras a conjunção. Eu sou o tempo perdurável e Aquele cuja face se volta para todas as partes.

34. Eu sou tanto a Morte, que não poupa a ninguém, como o Renascimento, que dissolve a Morte. Eu sou a Glória, a Fortuna, a Eloquência, a Memória, o Juízo, a Força, a Fidelidade, a Paciência.

---

3 Daityas – Deuses intelectuais, opostos aos deuses meramente rituais, e inimigos de *pūjā*, sacrifícios.

35. Entre os cantos, sou o Hino Sublime; entre os versos, sou o Verso Místico. Entre as estações, sou a Primavera; entre os meses, sou o mês mais frutífero.

36. Eu sou a Sorte entre os jogadores, e o Esplendor de tudo o que brilha. Eu sou a Valentia e a Vitória; Eu sou a Bondade dos bons.

37. Eu sou o Chefe de grandes tribos e famílias; Eu sou o Sábio dos sábios, o Poeta dos poetas, o Bardo dos bardos, o Vidente dos videntes, o Profeta.

38. Para os governadores, sou o Cetro do poder; entre os estadistas e conquistadores, sou a Diplomacia e a Política. Sou o Silêncio dos segredos, e o Saber dos eruditos.

39. Em suma, ó príncipe! Eu sou Aquilo que é o princípio essencial na semente de todos os seres e de todas as coisas na Natureza; cada ser, animado ou inanimado, é por Mim penetrado, e, sem Mim, nada pode existir nem por um instante.

40. Sem-fim são as minhas manifestações divinas, ó Arjuna! Só exemplos delas te apresentei. Os meus poderes são infinitos em qualidade e variedade.

41. Todo ser e toda coisa são o produto de uma infinitésima porção do meu Poder e da minha Glória.

42. Mas para que mais minúcias, ó príncipe? Sabe que Eu sustento todo este universo continuamente, só com um infinitesimal fragmento de Mim mesmo."

Capítulo XI

vishva-rupa-darshanam — a visão da forma divina universal

A forma divina ou personalidade de Deus consiste na soma de todas as formas e atividades, em que se manifesta o seu poder.

1. Então dirigiu *Arjuna* ao Senhor Abençoado estas palavras:

1. "Os Teus ensinos, ó Senhor, com os quais Te dignaste explicar-me o grande mistério do Espírito, destruíram a minha ilusão e ignorância.

2. Tu me revelaste a plena verdade a respeito da criação e destruição de todas as coisas, a respeito da Tua grandeza, infinita perfeição e universal imanência.

3. Tu és, em verdade, o Senhor do universo, como me expuseste e me convenceste. Mas, se é possível, ó meu Senhor e Mestre, mostra-me a Tua majestosa forma.

4. Se julgas que sou capaz de vê-la, faz-me ver a Tua própria Face e Forma, o Teu Eterno Eu, ó Adorado!"

A *Divindade* responde:

5. "Vê, pois, ó filho da Terra, e contempla-me, que sou Um só, em milhares e milhões de diferentes e variadíssimas formas.

6. Imerge o teu olhar no reino dos deuses, anjos e arcanjos, espíritos planetários, diretores dos mundos e muitos outros seres misteriosos, com que não sonha nem a mais indômita especulação e fantasia.

7. Vê e observa o Universo inteiro, com todos os seres animados ou inanimados, resumido no meu corpo. Nele encontras tudo o que desejas ver.

8. Mas não é com os teus olhos materiais que Me podes ver. Para isso, abro-te a tua visão espiritual. Olha, pois, e vê agora a minha gloriosa Natureza Mística!"

Samjaya:

9. "Tendo o Senhor dos Mundos assim dito, deu-se a conhecer ao Filho da Terra em seu supremo aspecto de Senhor Absoluto, cujo domínio abrange o universo inteiro.

10. Neste aspecto, viu-se como Muitos em Um só: com inúmeras faces e olhos e bocas, inúmeras aparências, consciências e formas, com todo o esplendor de adornos

celestes, com todas as forças de poder divino, divinamente vestido e coroado, exalando agradabilíssimos perfumes.

11. Luminoso, radiante, maravilhoso, cheio de graça, e onividente era o seu Semblante.

12. Se mil sóis, ao mesmo tempo, brilhassem no firmamento, a luz deles haveria de empalidecer na presença da Glória que aquele Semblante irradiava em todas as direções.

13. Arjuna viu, então, todo o Universo, variadíssimo em suas múltiplas aparências, formando uma Unidade no Corpo do Ser Absoluto, e manifestando-se como muitíssimas partes nos corpos dos deuses.

14. Arrebatado e pasmado, e com os cabelos arrepiados, mirou e admirou essa Visão Maravilhosa; e, inclinando a cabeça com reverência e devoção, juntou as mãos e dirigiu-se ao Altíssimo, dizendo:

(*Arjuna*):

15. "No corpo Teu, ó Deus, eu vejo todos
 Os deuses, os degraus de seres todos;
 Noto o Brama, sentado em flor de loto,
 E a seu redor os Santos com os Sábios.

16. Inúmeros Teus braços são, e os olhos;
 Inúmeros Teus peitos, Tuas bocas.
 Eu vejo que no Teu Ser infinito
 Não há princípio, ou meio, ou fim algum.

17. Sobre a cabeça trazes a coroa,
    Na mão o cetro e o disco segurando.
    Por toda a parte irradias viva Luz,
    Tão forte, que os olhos meus ofuscas.

18. És indiviso, ó Rei dos entes todos!
    A Lei e o Coração de todo o Cosmos;
    Tu és o Alvo mais alto do saber –
    De todo ser que existe, a Eterna Fonte.

19. Não tens princípio, meio ou fim algum.
    É eterno o Teu poder, a Tua ação.
    Teus olhos são o claro Sol e a Lua,
    A Tua face brilha como fogo.

20. Com Tua luz, Tu enches os espaços,
    O Teu amor aquece os mundos todos;
    Todas as terras, todos os empíreos
    De Ti, de Tua glória cheios são.

21. Porém, vendo a estupenda face Tua,
    Os mundos tremem, fogem de Ti os demônios,
    E as multidões dos santos e dos pios
    As mãos estendem, dando-Te louvores.

22. Com hinos Te celebram, Grande Deus,
    Todas as multidões e classes de anjos,
    Arcanjos, querubins e serafins,
    E todos os mais entes celestiais.

23. Reunindo-se em falanges numerosas,
    Admiram, ó Senhor, a Tua forma!
    Os mundos, vendo a Tua majestade,
    Pasmam, e em mim palpita o coração.

24 . Com a cabeça tocas o alto céu,
    Em milhares de cores resplandeces;
    A Tua boca aberta está, horror!
    E como os grandes olhos Teus flamejam!

25. Ai, teus dentes, se ouriçam e me assustam!
    A Tua boca ao mundo lança incêndio.
    Que aspecto aterrador é para mim!
    Já perco os meus sentidos; tem piedade!

26. De Dhritarāshtra os filhos, e com eles
    A multidão dos grandes generais,
    O invencível Bhīshma, Drona, Karna,
    E dos guerreiros nossos os mais fortes...

27. Desaparecem nessa horrível boca,
    Da qual os aguçados dentes vejo.
    Ai! Muitos vejo já com membros triturados;
    Despedaçados são por esses dentes!

28. Como os rios, correndo ao mar enorme,
    Com rapidez ao alvo seu encaminham,
    Irresistivelmente vão lançar-se
    Esses heróis em Tua garganta ardente.

29. Como as moscas, à luz da vela voando,
    Vão perecer na chama que procuram:
    Assim os mundos vão se aproximando,
    A passos apressados, do seu fim.

30. Em Teus lábios, Senhor, em Tua garganta,
    Todos os mortais sumir-se eu vejo;
    A Tua luz penetra todo o mundo,
    E Teus fogosos olhos queimam tudo.

31. Oh! Dize-me quem és, que tão terrível
    Aspecto tens? Perante Ti me prostro;
    Oh! Tem piedade! Quero conhecer-Te,
    Mas esta aparição eu não compreendo."

O *Sublime* fala:

32. "Eu sou o Tempo, destruidor dos mundos.

Sob esta terrível forma, aqui
Me empenho na destruição
Desta multidão de príncipes.
De todos os guerreiros que aqui vês,
Nenhum Me escapará. Só tu os sobreviverás.

33. Levanta-te, pois, teu é o poder;
Combate, tu serás o vencedor,
Meu braço já abateu teus inimigos;
Sê instrumento Meu; sê Meu executor.

34. Derrota todos: Bhīshma, Drona, Karna,
E Jayadratha com os mais heróis;
Eu já os destruí, não estremeças!
Coragem! E serás o vencedor!"

Samjaya:

35. O heroico Arjuna, ouvindo estas palavras do Senhor dos mundos, prosternado e humilhado estendeu as mãos e disse com trêmula voz:

36. *Arjuna*:
"O mundo, com razão, Senhor, se alegra
Em Tua luz e Tua majestade.
Adoram-Te com júbilo os anjos,
Porém, fogem de Ti os maus, os demos.

37. A Ti pertence a glória, a Ti somente,
    Ser dos seres, mais alto do que Brahma!
    Espírito Infinito, Único, Eterno,
    Que, ao mesmo tempo, és o Ser e o Não ser!

38. Tu és o Deus Supremo, o Criador,
    Sustentador de todo este Universo;
    De todos os seres és a Origem,
    És a Verdade estável, e o Saber.

39. Tu és o fogo, és a Água, o Vento, a Terra,
    A Lua; és o Senhor e o Pai dos homens.
    Somente a Ti pertence a glória vera,
    A Ti somente deve-se adorar.

40. Senhor, louvado sejas nas alturas
    E nas profundidades dos abismos;
    Sem-fim é Teu poder e Tua força,
    Tu és o Todo, e tudo Tu sustentas.

41. Perdoa-me que, confidentemente,
    Eu Te chamava: Ó Krishna! Amigo meu!
    Perdoa-me essa leviandade
    E a falta de respeito a Ti devido.

42. Perdoa as faltas minhas, cometidas,
    Talvez, no gracejar, em companhia,
    Ou quando estava só, em pé, no leito,
    Parado ou caminhando, em ignorância!

43. Ó Senhor do Universo! Pai de tudo!
    Ó Fonte do Saber! Supremo Mestre!
    Não há ninguém que seja igual a Ti,
    Tu, infinitamente poderoso!

44. Humildemente, prostro-me a Teus pés,
    Imploro, meu Senhor, Tua clemência:
    Oh! Sê-me afável, como o pai ao filho,
    Como um amigo, ou um amante, ao outro.

45. Mirando as Tuas grandes maravilhas,
    Me extasio, porém temor me invade;
    Desejo em outra forma contemplar-Te;
    Oh! Mostra-Te, Bondoso, noutro aspecto!

46. Desejo ver-Te, como eu antes Te vi;
    Ver-Te com a coroa, o cetro e o disco.
    De novo, aparece-me nessa forma,
    Que me sugere amor, e não me espanta!"

47. Disse *Krishna*:
"Por Meu poder contemplaste, Arjuna,
Infinita e radiante, a minha forma,
Que em si contém dos seres o conjunto;
Ninguém dos outros ainda assim Me viu.

48. Nem dos Sagrados Livros os estudos,
Nem esforços mentais, nem sacrifícios,
Nem boas obras, nem a penitência
Me podem revelar assim aos homens

49. Não temas, não te assustes, caro,
Por teres visto esta minha forma;
Liberta-te de todo o medo, e vê-Me
De novo, agora, em minha forma humana."

Samjaya:

50. Pronunciadas estas palavras, apareceu Krishna ao príncipe Pāndava outra vez em sua forma usual, com a expressão de suprema bondade e meiguice, tranquilizando assim o atemorizado Arjuna.

Arjuna, recuperando a tranquilidade de ânimo, exclamou:

51. "Oh! como se acalma o meu espírito, quando me apareces em Tua pacífica Forma humana!."

Respondeu *Krishna*:

52. "A forma em que me viste, ó príncipe, é tal, que a poucos é dado contemplá-la. Os deuses, os arcanjos e os espíritos dos mais altos céus desejam ardentemente vê-la, mas não podem encarar-Me como tu Me encaraste.

53. A essa visão não se chega pela leitura das Escrituras, nem por voluntários martírios, nem pela distribuição de esmolas ou sacrifícios.

54. Só pelo verdadeiro amor e verdadeira devoção se pode chegar ao conhecimento do Meu Ser, e conhecer e ver e penetrar Minha essência.

55. Quem tudo faz em Meu nome; quem Me reconhece como o alvo de todos os seus mais nobres esforços; quem Me adora, livre de apegos e sem odiar a ninguém, esse chegará a Mim."

Capítulo XII

bhakti-yoga — União pela devoção

A verdadeira religião é a União da alma individual com Deus, o Espírito Universal.

Arjuna:

1. "Dos que desejam estar sempre Contigo, e com amor meditam em Ti pelo processo indicado, e daqueles que meditam no Indestrutível e Imanifestado, quais são os melhores yogīs?

Krishna:

2. "Considero melhores yogīs aqueles que buscam a comunhão eterna Comigo, e que, com a mente fixa em Mim, meditam em Mim com o maior fervor."

3. Aqueles que Me adoram como o Ser Absoluto, Infinito, Não manifesto, Onipresente, Onipotente, Onisciente, Incognoscível, Incompreensível, Inefável, Invisível, Eterno, Imutável, Um e Tudo.

4. Que, dominando os seus sentidos, mantêm sempre o ânimo igual, respeitam todos os seres e se regozijam com o que é bom e belo, onde quer que estejam, desejando o bem-estar de todos, também esses chegarão a Mim.

5. O caminho dos que Me reconhecem como o Absoluto e Imanifesto é muito mais árduo do que o caminho dos que Me adoram como Deus manifesto e possuidor de forma. A concepção de Absoluto, Infinito é a causa mais difícil para a mente finita do homem. É muito difícil para o visível conceber o invisível, o finito conceber o infinito.

6. Mas aqueles que em Mim renunciam a todas as suas ações, e meditam em Mim como seu ideal mais elevado, considerando tal meditação como um fim, sua mente está fixa em Mim.

7. Prontamente os salvo do oceano, das mortes e dos renascimentos.

8. Descansa em Mim tua mente, ó príncipe! E satura toda a tua mente de Meu Ser, e ao deixares esta vida, morarás certamente em Mim.

9. Mas, se não és capaz de dominar os teus pensamentos de tal modo que sejam sempre a Mim dirigidos e em Mim fixados, esforça-te então por Me alcançar mediante perseverantes exercícios devocionais.

10. Se, porém, és incapaz de praticar exercícios devocionais, executa Meu trabalho por amor. Oferecendo-Me as tuas obras, alcançarás a meta.

11. E se ainda isso não fores capaz de fazer satisfatoriamente, refugia-te então em Mim e dominando-te a ti mesmo renuncia aos frutos das tuas obras.

12. Pois melhor do que os exercícios devocionais é a sabedoria (conhecimento espiritual); melhor do que a sabedoria é a meditação, e melhor do que a meditação é a renúncia aos frutos da ação. Da renúncia nasce a paz de espírito.

13. Em verdade, te digo que amo aquele que não odeia a ninguém e a ninguém faz mal, mas é amigo e amante de toda a Natureza, e aquele que é bondoso, livre de vaidade, orgulho e egoísmo, e mantém sempre a equanimidade, sendo paciente na desventura.

14. Amo aquele que é sempre constante, afável e piedoso, manso de coração e de firme vontade, e cujos pensamentos em Mim se concentram.

15. Amo aquele que não tem cuidados mundanos, não teme o mundo e não é tímido; quem é livre de turbulência, da cólera, impaciência e medo, e não se entrega à tristeza nem à alegria excessiva.

16. Amo aquele que não tem preconceitos, é justo e puro, imparcial, confidente, livre de toda ânsia, e nunca desespera.

17. Amo aquele que não se apaixona, nem odeia, não se entristece nem cobiça, e desapega-se das ações tanto boas como más[1].

---

[1] Porque tanto umas como outras, feitas com apego, citam a alma, karmicamente, ao ciclo das reencarnações compulsórias, isto é, não a libertam.

18. Amo aquele que igualmente considera o amigo e o inimigo, os honrados e os desprezados, e com igual ânimo suporta o calor e o frio, o prazer e a dor, a nada se apegando.

19. Amo aquele que não murmura contra o destino, não se importa se o mundo o louva ou censura, em todo lugar está contente e, firme em seu propósito, em Espírito Me adora.

20. Porém, os mais amados Meus são aqueles que praticam, como indiquei, esta bendita e jamais falível *Yoga* ou União, com fervor e amor tal que não vejam nenhum outro ideal superior.

Capítulo XIII

kshetra-kshetrajna-vibhaga yoga — o campo e o conhecedor do campo

Arjuna:

1. Ó, Mestre Divino! Dá-me esclarecimentos a respeito daquilo que chamamos Matéria, e do que é o conhecimento e o conhecido, Espírito; explica-me o que é que se denomina o Campo Conhecedor do Campo".

Responde o *Verbo Divino*:

2. "Aquilo que chamas corpo ou teu eu pessoal, ó Arjuna! Alguns filósofos denominam 'o Campo'. Aos que o conhecem, os Sábios chamam de 'Conhecedor do Campo'.

3. Sabe que Eu sou o Conhecedor do Campo em todos os Campos. A Mim o discernimento entre o Campo e o Conhecedor do Campo é a verdadeira Sabedoria".

4. Ouve agora; quero falar-te da natureza da Matéria, sua organização, suas propriedades, sua origem e transmutações; igualmente falarei do Espírito e seus sinais característicos.

5. Este assunto foi descrito de diferentes modos pelos *Purānas*, pelos vários *Vedas* e pelos aforismos de *Vyāsa*, com suas razões e decisões.

6. Com o nome de Natureza Material designam-se os elementos materiais, a consciência de personalidade, o intelecto, a força vital, os centros dos sentidos, a mente, os órgãos dos sentidos.

7. O amor e o ódio, o prazer e a dor, a multiplicidade, sensibilidade e coesão.

8. A Sabedoria Espiritual consiste em modéstia, sinceridade, inocência, paciência, retidão, respeito para com os superiores, castidade, constância, domínio de si próprio.

9. Ausência de sensualidade, ausência de orgulho e vaidade, conhecimento dos males de nascimento e morte, velhice, doença e sofrimentos.

10. Ela ensina a libertar-se dos vínculos pessoais entre o possuidor da sabedoria e sua mulher, seus filhos, sua casa. Dá constante equanimidade e tranquilidade de espírito, tanto na ventura como na desventura.

11. Ensina a verdadeira adoração e devoção, o autoisolamento do mundo profano e a abstinência de divertimentos mundanos.

12. Além disso, o amor a Deus, a persistência no verdadeiro conhecimento e a meditação sobre a verdade. Isso é chamado, pelos filósofos, de *Jnāna, o conhecimento*; o contrário é *Ajnāna, a ignorância*; tudo o mais é ignorância.

13. Agora, explicar-te-ei qual é o objeto do conhecimento e qual a espécie de conhecimento que confere a Imortalidade. O objeto do conhecimento é Parabrahm[2], que não tem princípio nem fim, e não se pode chamar nem Ser, nem Não ser.

14. Suas mãos, pés, cabeças e faces estão em todas as partes; Ele vê tudo e tudo ouve, e contém em si todo o Universo, em que mora.

15. Sem órgãos e sentidos próprios, manifesta-se, entretanto, por todos os órgãos e sentidos do Universo inteiro. É intacto e livre, e contém todas as coisas; em si mesmo é sem qualidades e, contudo, tem o conhecimento de todas as qualidades e todos os atributos.

16. Está dentro e fora de todos os seres; é movente e também imovente; é tão sutil que é imperceptível; está perto e ao mesmo tempo distante.

17. Presente em todos os seres como seus *ātmas* (almas), Ele parece fragmentado, mas realmente é indivisível. Conhecei esses *ātmas* como os sustentadores dos corpos, reproduzindo-os e alentando-os.

---
2   Parabrahm – a Suprema Divindade (Deus, no sentido cristão).

18. O Ātma (Deus) é a Luz das luzes. Ele é o Conhecimento, o Conhecedor e o Conhecido. Mora nos coração de todos.

19. Com estas concisas palavras, dei-te a ideia do Campo, do Conhecimento e o objeto do Conhecimento. Os sábios que isso conhecem unificam-se Comigo.

20. Sabe, ó Arjuna, que tanto a Matéria como o Espírito são sem princípio e sem fim. Sabe também que da Matéria procedem todas as modificações e qualidades e que, portanto, transcende a toda matéria.

21. A Matéria, estando em contínuo movimento, produz variadíssimas e mutáveis formas; o Espírito, porém, é a causa do sentimento de prazer e dor.

22. O Espírito recebe as impressões das propriedades que emanam da Matéria. O apego a essas qualidades determina a sua reencarnação em boas e más matrizes.

23. O Espírito Universal é espectador, diretor, protetor e possuidor; Ele é a Alma do Universo, a força que fecunda a Matéria, e permanece intacto no meio das atividades desta.

24. Quem compreende o que é a Matéria, o Espírito e as propriedades da Matéria, como te expus, sente-se idêntico ao Espírito, é filho da Luz, e quaisquer que sejam as condições da sua vida, fazem parte daqueles que não estão mais sujeitos às reencarnações.

25. Alguns chegam ao conhecimento do seu Eu Espiritual por meio da meditação; outros pelo pensar aprofundado; alguns alcançam a percepção mediante renunciação; outros por meio de boas ações.

26. Há muitos que não descobriram essa verdade por si mesmos e em si mesmos, mas ouviram a doutrina e os ensinos de outros, e respeitam-nos; também estes, agindo de acordo com a doutrina, vencem a morte pela força da fé.

27. Ó, príncipe! Sabe que cada ser criado, seja animado ou inanimado, é produzido pela união do Campo com o Conhecedor do Campo.

28. Quem vê a Alma Universal imanente em todas as coisas, imperecível ainda que em coisas perecíveis, esse em verdade vê.

29. Vendo a mesma Alma Universal imanamente em todas as coisas, não cai no erro de identificar o seu Eu com os princípios inferiores, e assim é livre da ilusão da mortalidade, e elabora a sua Salvação.

30. Verdadeiramente vê quem percebe que todas as ações são executadas pelo corpo (ou Matéria), cujas qualidades (*gunas*) atuam cada qual à sua maneira, e não pelo Eu.

31. Unifica-se com Deus quem vê que as diferenças entre os seres e o aumento da família provém tão só de um dos dois elementos reunidos, que é o corpo (ou Matéria).

32. O Imperecível e Supremo SER, sem princípio nem qualidades, conquanto resida no corpo, permanece impassível e inativo.

33. Como o éter que tudo penetra e nada o afeta em razão de sua extrema subtilidade, assim nada contamina o Espírito, ainda que em todas as partes resida na Matéria (ou corpo).

34. Como o Sol ilumina todo este mundo, assim o Senhor do Campo ilumina todo o Campo.

35. Alcançam o Supremo aqueles que com os olhos da sabedoria discernem a diferença entre o Campo e o Conhecedor do Campo, bem como os meios de se libertarem da Matéria moldada na forma de um corpo.

Capítulo XIV

guna-traya-vibhaga yoga — os três gunas ou qualidades da matéria

Tudo o que tem lugar na Matéria e na Consciência é consequente de três qualidades, as quais são o motivo de todos os atos materiais de sentir, querer, pensar e agir. Essas três qualidades, forças ou "gunas" chamam-se, em termos sânscritos: "*Sattva*", "*Rajas*" e "*Tamas*".

"*Sattva*" designa Equilíbrio, Ritmo, Harmonia; "*Rajas*", Atividade, Movimento, Emoção, Ambição; "*Tamas*", Estabilidade, Resistência, Inércia, Obscuridade.

A Divindade é superior à Matéria, com as suas qualidades. A Divindade em si mesma, não é "boa" nem "má", porque essas palavras exprimem ideias relativas, e são aplicáveis apenas ao que é manifestado. Quem se torna superior a esses três atributos naturais, unindo-se à sua Essência Divina e realizando a Consciência do seu Eu Divino, alcança a Libertação.

Continua *Krishna*:

1. "Presta atenção, ó Arjuna! Quero dar-te ainda mais esclarecimentos e ensinar-te mais verdades da Suprema Sabedoria. Esta Sabedoria é o melhor que se pode possuir; os sábios e santos que a possuíram chegaram às alturas da Suprema Perfeição.

2. Tendo alcançado o Supremo Conhecimento, vieram unir-se comigo, entrando em meu Ser. Eles não renascerão, nem quando um novo universo for criado, e a dissolução do universo não os tocará.

3. Este Universo de matéria é a minha matriz, em que ponho o germe de que provém todos os seres.

4. Quaisquer que sejam as matrizes de que nascem os seres, este Universo é a sua matriz, e Eu, o Pai inoculador.

5. A Matéria tem três qualidades, princípios ou gunas, que se chamam: *Sattva* ou *Harmonia*, *Rajas* ou *Movimento*, e *Tamas* ou *Inércia*. Esses três atributos vinculam a alma ao corpo ou o Espírito à Matéria.

6. Os seus vínculos são diferentes, mas todos são vínculos. *Sattva*, a *Harmonia*, sendo pura e imaculada, vincula a alma pelo amor ao conhecimento e à harmonia. Quem está em seu poder, renasce por causa dos vínculos que o prendem ao saber e à beleza.

7. *Rajas*, a Emoção, é a natureza passional, o desejo que vincula a alma, incitando-a a ocupar-se da ação e dos objetos e levando-a ao renascimento pelo apego à ação.

8. *Tamas*, a inércia, vincula a alma pelos laços da negligência, apatia e preguiça.

9. *Sattva* (Harmonia) prende à felicidade; *Rajas* (Emoção) ata a ação; mas *Tamas* (Inércia), obscurecendo a reta percepção, encadeia os mortais à indolência.

10. Quando o homem vence *Tamas* e *Rajas*, reina nele *Sattva* só. Quando desaparecem *Rajas* e *Sattva*, domina o *Tamas*. E quando desaparecem *Tamas* e *Sattva*, governa *Rajas*.

11. Vendo a Sabedoria manifestada em alguém, sabe que *Sattva* é o guna que o domina.

12. Onde se vê avidez, obstinação, muita atividade, agitação e desejo, ali *Rajas* exerce o seu poder.

13. Quando aparece estupidez, preguiça, vaidade e falta de ideias, *Tamas* está no trono.

14. Se na hora de sua morte prevalece a Harmonia, o homem vai para os imaculados mundos dos grandes Sábios.

15. Mas se predomina a Emoção, renasce o homem, entre os inclinados à ação. E se na Inércia desaparece, volta a nascer entre os ignorantes.

16. O fruto de uma boa ação é puro e harmônico; o fruto da Emoção é em verdade dor, mas o da Inércia é ignorância.

17. Da Harmonia procede o conhecimento; da Emoção, o desejo, e da Inércia, o erro, a ignorância, a preguiça.

18. Os que estão situados na Harmonia ascendem ao alto; os ativos moram na região intermediária, e os inertes se afundam nas mais vis qualidades.

19. Quando o Vidente se apercebe de que as qualidades são o único agente, e reconhece AQUELE que se sobrepõe às qualidades, então participa de Minha natureza.

20. Quando a alma encarnada ultrapassar essas três qualidades que aparecem com a formação de um corpo, e quando se tornou consciente do que existe além delas, libertou-a dos vínculos dos *gunas* e, por conseguinte, também dos vínculos do nascimento e da morte, da velhice e do sofrimento, e bebe o néctar da Imortalidade.

Pergunta *Arjuna*:

21. Ó Senhor! "Como se pode conhecer aquele que alcançou essa vitória? Como vive e como vence essas três qualidades?".

Responde *Krishna*:

22. "Diz-se que ultrapassou as qualidades quem, sentindo o efeito que as qualidades produzem – percepção, ação ou ilusão – não lhe repugnam os maus frutos advindos nem anseia pelos bons frutos frustrados."

23. Aquele que, como neutro espectador, não é comovido pelas qualidades, mas, imperturbável, se retrai delas com o pensamento: "as qualidades desempenham sua tarefa".

24. Aquele que, equânime no prazer e na dor, fixa-se no Eu, olhando indiferente a argila, a pedra e o ouro; que, firme no louvor e no vitupério, recebe com a mesma afabilidade as coisas agradáveis e as desagradáveis.

25. Aquele que com igual indiferença aceita as honrarias e os vitupérios; que por igual olha os amigos e os inimigos, e é desprendido de todos os compromissos.

26. Aquele que se consagra exclusivamente a Mim pelo Yoga da devoção: esse supera tais qualidades e unifica-se com o ETERNO.

27. Pois Eu sou a causa principal de se tornar alguém o ETERNO, imortal e imperecível; da conquista do sempre inesgotável poder, e da bem-aventurança obtida com sincera e pura devoção.

Capítulo XV

purushottama-prapti yoga — o conhecimento do Espírito Supremo

> O homem alcança a libertação espiritual e, por conseguinte, a sua perfeição, quando chega ao conhecimento da Divindade em si mesmo, e torna-se consciente do Espírito Supremo.

Continua *Krishna*:

1. Os Vedas descrevem *Ashvattha* (*Ficus religiosa*), que é uma árvore invertida, com as raízes para cima e os galhos para baixo. É imperecível, e suas folhas correspondem aos hinos védicos. Quem a conhece é conhecedor dos Vedas.

2. Seus galhos alçam-se para o céu e vergam-se até a terra; sua seiva nutriz representa os *gunas* (qualidades), e seus rebentos equivalem aos objetos sensórios. Suas

radículas pendentes até o solo significam as ações engendradas no mundo dos homens, que os reatam com laços cada vez mais apertados.

3. Não é possível conhecer-se aqui a natureza, fim e sustentáculo dessa *Ashvattha*, tão solidamente radicada. Abatei-a, pois, com o potente machado do discernimento.

4. Então poderá ser buscada aquela meta, donde não retornam mais os homens que a atingirem. Que solicitem o auxílio do Ser que é a Fonte primária donde flui essa remotíssima corrente de apegos.

5. Que se libertem da ilusão do egoísmo, vençam o pecado dos apegos e residam sempre no Eu. Então o abandonarão os objetos sensórios e com eles desaparecerão os "opostos" conhecidos como prazer e dor. Contemplarão vivamente o Eu, e assim atingirão a meta imutável.

6. Ali não há brilho do sol, nem da lua, nem do fogo. Minha é a Luz Infinita, da qual não retornam os homens que a tenham alcançado.

7. No mundo dos vivos, um fragmento de Mim Mesmo se transforma num Espírito imortal, que do reservatório da Natureza atrai para si os cinco sentidos e a mente.

8. Quando o Eu, o governador dos sentidos e da mente, toma um corpo ou o abandona, recolhe-os e leva-os consigo; precede o vento com o perfume das flores.

9. O Eu, unido à visão, ouvido, olfato, paladar e tato, e à mente, faz experiências com os objetos dos sentidos.

10. Os ignorantes e iludidos não veem o Eu, quando deixa o corpo, nem quando está nele; nem sabem como se encarna o Espírito, unindo-se os três *gunas*.

11. Os iluminados e os yogīs o veem e conhecem. Mediante frequente meditação, alcançam a percepção dele em si mesmos; mas aqueles que têm a mente obscurecida, não o percebem, ainda que o procurem.

12. Sabe, ó Arjuna, que a luz radiosa que se desprende do Sol, iluminando o mundo inteiro, e é refletida pela Lua e a chama ígnea que a tudo abrasa, provém todas de Mim.

13. Eu penetro na terra e sustento todas as coisas com a minha força viva; Eu sou a seiva das plantas e dos vegetais.

14. Como as forças vitais, o fogo da vida, penetro no corpo que respira e, unido com a inalação e a exalação, dirijo os processos digestivos, assimilativos e eliminativos.

15. Eu resido nos corações e nas mentes dos homens, e de Mim provém a memória, o entendimento e a privação de ambos. Eu sou o que se há de conhecer nos *Vedas*. Eu sou o conhecedor dos *Vedas* e o autor do Vedānta.

16. Há dois aspectos neste mundo: a Unidade e a Pluralidade; a Alma Superior e as almas inferiores; o Indivisível e o Divisível. O Indivisível é superior a todas as formas da Natureza.

17. Estes dois aspectos formam a Unidade Universal. Mas há ainda um Ser Supremo, o Espírito Absoluto, a Alma das almas, o Sustentador, a Origem e o Senhor de tudo.

18. Eu sou este Espírito Absoluto, e estou dentro e acima da Alma Una e da Alma múltipla; por isso, as Escrituras denominam-me o Altíssimo.

19. Quem, com a mente desanuviada, Me conhece assim como o Altíssimo, a tudo conhece, ó Arjuna, e de todos os modos me adora.

20. Declarei-te, pois, este secreto ensinamento. Sábio é quem o compreende, e cumprida está a tua tarefa.

Capítulo XVI

daivasura-sampad vibhaga yoga — discernimento entre o divino e o demoníaco

O homem representa, por si mesmo, um universo em pequena escala (um microcosmo). Sendo o homem um ser espiritual organizado, é influenciado por seres superiores e inferiores; para poder distinguir as boas das más influências, necessita da Consciência Divina.

Prossegue *Krishna*, o Verbo Interno:

1. "Vou dar-te os sinais característicos dos homens que andam pelo caminho que conduz à Vida Divina. Ei-los: intrepidez, pureza de coração, perseverança em busca da sabedoria, caridade, abnegação, domínio de si mesmo, devoção, religiosidade, austeridade, retidão.

2. Abstenção de más ações, veracidade, mansidão, renúncia, equanimidade, boa vontade, amor e compaixão para com todos os seres, ausência do desejo de matar, ânimo tranquilo, modéstia, discrição, firmeza.

3. Fortaleza, paciência, constância, castidade, humildade, indulgência.

4. Agora, atente para as características dos homens que andam pelo caminho que conduz aos demônios: hipocrisia, orgulho, arrogância, presunção, cólera, rudeza e ignorância.

5. O bom caráter liberta da imortalidade e conduz à Divindade. O mau caráter causa repetidos nascimentos mortais. O primeiro dá liberdade, o segundo escravidão. Mas não temas, ó herói! Tu tens bom caráter e destino divino.

6. Duas espécies de natureza pode-se observar neste mundo humano: a divina ou boa, e a diabólica ou má. As características da natureza boa ou divina já te descrevi suficientemente. Ó Filho da Terra! Escuta agora quais são as características da natureza má.

7. Os seres que são iguais aos *Asuras* (demônios, espíritos maus), não conhecem nem o seu princípio nem o fim; não sabem o que é praticar Reta Ação e não sabem abster-se de ação má. Neles não há pureza, nem moralidade, nem veracidade.

8. Eles dizem que no mundo não há verdade nem justiça; negam a existência do Espírito Divino; acreditam

que o mundo é produto do acaso, e que o fim da vida é o gozo material.

9. E vivem conforme essas ideias errôneas; são gente de intelecto mesquinho, ações desregradas, inimigos da Humanidade e praga do mundo.

10. Entregam-se aos prazeres carnais e dizem que esse é o mais alto bem. Porém, nunca os prazeres sensuais os satisfazem, porque, mal um apetite obteve satisfação, já emerge outro, cada vez mais imperioso. Esses homens são hipócritas, vaidosos e iludidos.

11. É impura a vida deles, porque, pensando que com a morte tudo se acaba, creem que o supremo bem consiste na satisfação de seus desejos.

12. Enleados nas teias do desejo, entregam-se à volúpia, à ira e à avareza; prostituem a própria mente e o seu sentimento de justiça, procurando acumular riquezas por meios ilegais, com o fim de terem com que satisfazer os desejos materiais.

13. Dizem eles: "Hoje obtive isto, e amanhã hei de obter aquilo, conforme o desejo do meu coração. Isto me pertence, e aquilo me pertencerá.

14. A este inimigo derrotei, e àquele derrotarei. Eu sou o senhor! Eu sou meu próprio deus, e tudo no mundo há de me servir para o meu gozo. Eu sou feliz, forte, poderoso!

15. Eu sou rico e nobre. Onde está outro que me iguale? Distribuirei esmolas entre a população, para que se conheça a minha liberalidade e se espalhe a minha fama!" Assim os engana a ignorância.

16. E confundidos pelos seus pensamentos e enleados na rede da ilusão, procurando sempre só a satisfação dos seus desejos, precipitam-se no horrendo inferno (*Naraka*).

17. Alguns deles, em sua hipocrisia, desejam aparecer como bons perante o mundo e, por isso, praticam atos de piedade e ritos da religião, seguindo, entretanto, apenas a letra, e repelindo o espírito das doutrinas religiosas, e dando as esmolas com ostentação e com coração frio.

18. Esses blasfemadores, egoístas e violentos, cheios de orgulho, voluptuosidade e ira, odeiam-Me e a tudo o que é bom, tanto em si mesmos, como nos outros seres.

19. Esses ímpios, malvados e aborrecedores, os mais vis entre os homens do mundo, são por Mim arrojados em demoníacas matrizes.

20. E caídos em demoníacos seios, alucinando-se de nascimento em nascimento, em vez de Me alcançarem, submergem-se nos mais profundos abismos.

21. Três são as portas deste inferno destruidor do ser: luxúria, ira e avareza. Delas se aparte, pois, o homem.

22. Quem se salva dessas três portas tenebrosas, realiza a sua própria felicidade e assim atinge a Meta Suprema.

23. Mas quem despreza os mandamentos da Lei e se entrega aos impulsos do desejo, não consegue a perfeição, nem a felicidade, nem a Meta Suprema.

24. Portanto, sejam as Escrituras a tua norma na determinação do que deves e não deves fazer. Neste mundo, age sempre de conformidade com as Escrituras cujos preceitos conheces.

Capítulo XVII

shraddha-traya vibhaga yoga — as três espécies de fé

A FÉ é o movimento da alma à procura da salvação, e sua manifestação chama-se "culto divino" ou "culto religioso".

O homem pode procurar a salvação em três caminhos: no "exterior", contentando-se com ritos ou um Salvador fora de si; e no "interior", quando reconhece a presença do Salvador no centro do seu próprio ser espiritual.

Então dirigiu *Arjuna* ao Divino Mestre esta pergunta:

1. "Qual é a condição e o estado daqueles homens que com fé oferecem sacrifícios, embora menosprezem os preceitos da Lei escrita? É de *Sattva*, *Rajas* ou *Tamas*?".

Respondeu *Krishna*, o Sublime:

2. "De três tipos é a fé inata nos encarnados: pura, passional e tenebrosa (*sáttvica, rajásica* e *tamásica*). Escuta o que delas passo a dizer-te:

3. Ó, príncipe, a fé de cada um reflete o caráter ou a natureza do homem. A fé constitui o homem; assim, qual seja a sua fé, tal será o homem.

4. Os homens nos quais predomina o *Sattva* veneram seres espirituais elevados, dando-lhes os nomes de deuses e santos; os mais adiantados adoram a Mim, o Deus único. Os homens rajásicos veneram heróis e outros seres espirituais poderosos. Os tamásicos dirigem o seu culto aos espíritos inferiores, demônios e espectros.

5. Há pessoas que, espontaneamente, se martirizam e mortificam o seu corpo, o que nenhuma Escritura Sagrada aconselha nem prescreve: tais pessoas são hipócritas, vaidosas, cheias de paixão, e desejam obter recompensas e louvores.

6. Atormentando os elementos vivos nos seus corpos, a Mim mesmo Me atormentam, e associam-se aos demônios.

7. De três espécies são os alimentos apreciados pelos homens, e também de três tipos são os sacrifícios, as austeridades e as esmolas. Escuta como se distinguem:

8. O alimento mais agradável ao homem puro é aquele que aumenta a vitalidade, o vigor, a saúde, preserva da doença, e traz o contentamento e a calma de espírito. Tal alimento tem bom sabor, mata a fome, não é nem demasiado amargo, nem demasiado azedo, nem salgado demais, nem muito quente, picante ou adstringente.

9. Os homens rajásicos preferem o que é amargo, azedo, ardente, picante, bem salgado e fortemente temperado, que lhes excite o apetite e estimule o paladar, mas que, finalmente, lhes acarreta moléstias, dores e enfermidades.

10. Aos homens tamásicos apetecem alimento rançoso, estragado, insulso, putrefato, corrompido e ainda as sobras de comida e outras imundícies.

11. Quanto aos sacrifícios e oferendas, eis a distinção: o homem sáttvico oferece o sacrifício conforme as prescrições das Escrituras, sem desejar recompensas firmemente convencido de que está cumprindo um dever.

12. O homem rajásico adora e oferece sacrifícios com a esperança de obter uma vantagem, preferência, prêmio ou recompensa, ou por motivos de vaidade e ostentação.

13. O tamásico pratica os atos de adoração e apresenta oferendas com fé, sem devoção, sem pensamento ou reverência, só porque quer seguir o costume.

14. Eis agora as três espécies de penitência, que são: a penitência corporal, lingual e mental. A penitência corporal consiste em respeitar os seres celestiais, os homens santos, os iluminados, os Mestres e guias do conhecimento, os sábios; e ser honesto, reto, casto e manso.

15. A penitência lingual consiste em prece silenciosa, e em falar com gentileza e mansidão, afavelmente, evitando todas as palavras ofensivas, dizendo o que é verdadeiro e justo.

16. A penitência mental consiste no contentamento e na igualdade de ânimo, têmpera moderada, discrição, devotamento, domínio das paixões e pureza da alma.

17. Essas três espécies de penitência, praticadas com boa fé pelos homens amantes de Deus, que não as fazem com motivos egoístas, pertencem ao *Sattva*.

18. A penitência, praticada pelos hipócritas e com a esperança de obter vantagens pessoais, honra e boa fama, pertence ao *Rajas*; este é incerto e inconstante.

19. A penitência, motivada por algum fim insensato, para atormentar-se a si mesmo ou fazer mal aos outros, pertence ao *Tamas*.

20. Quanto à prática de caridade, também é de três modos. Quando se dá esmola ou auxílio a uma pessoa digna, que não pode retribuí-lo, pelo sentimento de dever, em lugar e tempo próprios, é um ato sáttvico.

21. Quando se dá um presente com a esperança de obter, por isso, recompensa ou vantagem, ou quando se dá com repugnância, é um ato rajásico.

22. E quando se dá esmola sem afabilidade, com desprezo, em lugar e tempo impróprios, ou quando se dá a um indigno, é um ato tamásico.

23. *AUM – TAT – SAT*: este é o tríplice nome de Brahma, a tríplice designação do ABSOLUTO. A essa força devem a sua existência os Mestres e Iluminados, as Sagradas Escrituras e a Religião.

24. Por isso, aqueles que conhecem Brahma pronunciam sempre a palavra AUM[1], que significa o Eterno Poder Supremo, antes de praticarem qualquer ato religioso, ou antes de darem esmola.

25. *TAT* é o símbolo que indica que todos os entes têm o seu ser eternamente em Deus; pronuncia-se na prática de vários sacrifícios, penitências e obras de caridade, para evocar a ideia de Unidade.

26. *SAT* significa Verdade e Bondade, e pronuncia-se quando se pratica uma boa ação ou quando se observa uma boa qualidade.

27. Por isso, designa-se com a palavra *SAT* a perseverança, em sacrifício de si mesmo, penitência, renúncia, adoração mental e caridade, e tudo relativo a esses fins.

28. Tudo, porém, que se faz sem fé e sem boa vontade, seja sacrifício, mortificação da carne, abstinência ou esmola, chama-se *ASAT* (nulidade) e não tem valor ou mérito, nem neste mundo nem no outro."

---

[1] Os cristãos dizem: *Em nome de Deus!*

Capítulo XVIII

Moksha sannyasa yoga — a libertação pela renúncia

Há três espécies de renúncia: uma tem por causa a ignorância; outra é motivada pelo desejo de obter coisa melhor do que aquela a que se renuncia; a terceira nasce do amor ao Altíssimo e não nutre desejos pessoais. A primeira espécie pertence ao *Tamas*; a segunda, ao *Rajas*; a terceira ao *Sattva*. Quem renunciou a tudo o que é característico do amor a si próprio e oferece a sua vida a serviço da Divindade, cumprindo o seu dever por ser dever, e sem pedir recompensas; quem ama a Deus sobre tudo e todos os seres vivos como a si mesmo, alcança a União com o Absoluto, e nela a sua Salvação, tornando-se imortal.

Arjuna:

1. Quisera, ó Abençoado Senhor, saber em que consiste realmente a abstenção (*Sannyāsa*) e renúncia (*Tyāga*).

Krishna:

2. Os exegetas entendem por *sannyāsa* o abster-se dos atos dimanantes do desejo; os sábios dizem que *tyāga* é a renúncia aos frutos de todas as ações.

3. Uns opinam que toda ação é pecaminosa e se deve abster-se delas; outros sustentam que jamais se devem omitir atos como os de sacrifício, esmolas e disciplina.

4. Escuta, pois, meu veredito acerca da renúncia (*tyāga*). Tem-se dito que é de três espécies.

5. Os atos de sacrifício, esmolas e disciplina, e semelhantes, não devem ser abandonados, mas praticados, pois purificam os yogīs.

6. Esses atos, como o *Yoga*, devem ser praticados, mas sem apego aos seus resultados e sem interesse pessoal. Essa é a minha firme convicção.

7. Não é correto abster-se alguém de uma ação inerente à sua própria condição. Tal abstenção deriva da ilusão e é considerada *tamásica*.

8. O que se abstém da ação para evitar incômodos corporais, dizendo: "isto é penoso", pratica uma renúncia de natureza rajásica, e nada ganha com essa renúncia.

9. Se alguém, sem apego nem visando a resultados, pratica um ato inerente à sua própria condição, dizendo: "isto precisa ser feito", essa renúncia é tida como de natureza *sátvica*.

10. Quem não tem repugnância a fazer aquilo que não lhe dá proveito e não tem desejo do que lhe é vantajoso; quem é prudente e não nutre dúvida alguma, é um verdadeiro renunciador (*tyāgī*).

11. Não há homem que possa abster-se de toda ação enquanto vive no corpo terreno. Verdadeiro renunciador, é, porém, considerado quem se abstém de gozar os frutos de suas obras.

12. É tríplice o fruto da ação – desejável, indesejável e semidesejável – que nas vidas futuras colhem aqueles que não renunciam. Porém, quem renuncia nada tem para colher.

13. Ouve agora quais são os cinco fatores que, segundo a filosofia Sāmkhya, requer o cumprimento de todas as ações:

14. O meio (o corpo), o agente (o eu), os órgãos motores, as energias e as divindades presidentes.

15. Qualquer obra boa ou má, em ação, palavra ou pensamento, tem como causas esses cinco fatores.

16. Por isso, ofuscada está a mente e cega a visão de quem, por falta de conhecimento, se considere como o único agente.

17. Alguém que, abstendo-se da ação e não se ligando ao fruto, exterminasse aquelas hostes, não seria seu matador nem a tal ação se vincularia[1].

18. Cada ação tem três elementos causais: o conhecimento, o objeto do conhecimento e o conhecedor. Analogamente, cada ação tem três elementos de realização: o instrumento, a operação e o agente.

19. Também de três espécies são o conhecimento, a ação e o agente, em correspondência com as qualidades (*gunas*). Atenta no que sobre isto vou dizer-te.

20. Puro e de natureza *sátvica* é o conhecimento mediante o qual se vê em todos os seres o imperecível SER, indivisível no dividido.

21. Passional e de natureza *rajásica* é o conhecimento que considera separadas as diversas e múltiplas existências dos seres.

22. Mas tenebroso e de natureza *tamásica* é o conhecimento que se fixa numa só coisa como se fosse tudo, olhando-a fora da realidade, sob um aspecto mesquinho e não razoável.

23. Pura é a ação cumprida por dever, sem apetecer o fruto, sem gosto nem repugnância, e livre de afeto interesseiro.

24. Passional é a ação cumprida por sugestão do desejo, por motivos egoístas ou determinações violentas.

---
1 Veja-se Capítulo II:19; Capítulo III: 29, e Capítulo V: 8 e 9.

25. Tenebrosa é a ação cumprida por causa do erro, sem reparar na sua eficácia nem nas consequências nocivas que possa acarretar a outros.

26. Puro é o agente livre de afetação e egoísmo, dotado de energia e perseverança, e inalterável no êxito e no fracasso.

27. Passional é o agente que, desejoso de obter fruto de suas ações, está dominado pela cobiça, maldade e impureza, oscilando entre impulsos de alegria e pesar.

28. Tenebroso é o agente hipócrita, vulgar, malévolo, negligente, contumaz, desconfiado, falaz e preguiçoso.

29. Triplicemente concorde com as qualidades (*gunas*) é também a divisão do Intelecto [*Buddhi*[2]] e da Constância [*Dhritti*[3]], segundo passo a descrever-te claramente e sem reservas.

30. Puro é o Intelecto de quem conhece a ação e a omissão, o que deve e o que não se deve fazer, o temor e a intrepidez, a escravidão e a libertação.

31. Passional é o Intelecto que confunde o justo com o injusto, o que se deve com o que não se deve fazer, o bem com o mal.

32. Tenebroso é o Intelecto que imputa o bem pelo mal, o justo pelo injusto, e vê todas as coisas subvertidas e contrárias ao que realmente são.

---

2   *Buddhi*: também traduzido por *Discernimento*.
3   *Dhritti*: igualmente significa *vontade, firmeza, perseverança, resolução*.

33. Pura é a Constância que por meio do Yoga refreia a fogosidade da mente, dos sentidos e dos alentos vitais.

34. Passional é a Constância que leva o homem ao cumprimento de seus deveres, com o desejo de colher o fruto das ações e desfrutar de riquezas e prazeres.

35. Tenebrosa é a Constância que mantém o homem submerso na preguiça, no medo, na tristeza, no abatimento e na vaidade.

36. E agora escuta de meus lábios as três distinções do prazer por cujo desfruto contínuo tanto se alvoroça o homem e que lhe extingue as aflições.

37. Puro é o prazer que nascido do bendito autoconhecimento, no princípio repugna como adstringente peçonha, mas no fim deleita, qual suavíssima ambrosia.

38. Passional é o prazer que nascido da união entre os sentidos e seus objetos, deleita no princípio qual suavíssima ambrosia, mas no fim repugna como adstringente peçonha.

39. Tenebroso é o prazer que no princípio e no fim conturba o ânimo, e provém da morbidez, da negligência e da preguiça.

40. Ninguém na terra nem mesmo entre os próprios deuses do céu, está isento dessas três qualidades (*gunas*) oriundas da natureza.

41. Entre as castas dos *Brâmanes* (sacerdotes, instrutores, intelectuais), *Kshatriyas* (militares, estadistas, políticos), *Vaishyas* (comerciantes, banqueiros, fazendeiros) e *Shūdras* (domésticos, criados, servos) foram distribuídos os *Karmas*[4], de conformidade com as qualidades dimanantes de sua peculiar natureza.

42. Ânimo tranquilo, pureza, autodomínio, austeridade, misericórdia, retidão, sabedoria, conhecimento e fé em Deus: tal é o Karma dos brâmanes, nascido de sua peculiar natureza.

43. Proeza, galhardia, vigor, garbo, destreza, generosidade e impavidez no combate: tal é o Karma dos *kshatriyas*, nascido de sua peculiar natureza.

44. Agricultura, pastoreio e comércio: tal é o Karma dos *vaishyas*, nascido de sua peculiar natureza. Os serviços servis são o Karma dos *shūdras*, igualmente nascido de sua peculiar natureza.

45. Alcança a perfeição quem quer que cumpra contente o seu próprio dever[5]. Ouve agora como alcança a perfeição o indivíduo contente.

---

4 *Karma*: ação. Aqui significa o karma criado pelos atos, pensamentos e desejos do indivíduo em suas existências anteriores, e que atualmente constitui o seu *Dever* específico. Assim, pois, segundo Krishna, a casta ou classe social do indivíduo não é hereditária, mas oriunda de sua conduta pretérita.

5 Também: karma congênito, tarefa.

46. Esse alcança a perfeição, adorando pelo cumprimento de seu próprio dever o Supremo Ser de que emanam todas as vidas e que penetra todo o Universo.

47. É preferível cumprir-se o próprio dever, embora inferior, a imiscuir-se no dever alheio, embora superior. Não incide em pecado quem cumpre seu dever congênito.

48. Que a ninguém repugne seu dever natural, embora seu cumprimento seja acompanhado de inquietações. Pois como a fumaça é inerente a toda chama, assim são as inquietações em relação à ação.

49. Ao cumprir o seu dever, que ele permaneça desapegado de quaisquer espécies de resultado, mantenha sua mente totalmente concentrada e afaste de si toda preocupação, quanto ao executor. Mediante essa renúncia atingirá ele a meta superior que se galga mediante o Yoga do Conhecimento.

50. Aprende também brevemente de Meus lábios, ó filho de Kuntī, como quem conquistou essa meta, chega à unificação com Deus, que é a etapa suprema da realização.

51. Com a mente saturada de plenos e claros conhecimentos acerca da verdadeira natureza do Espírito; sendo perseverante no domínio da mente; tendo abandonado toda aliança com objetos sensórios, e estando livre de influências do amor e ódio.

52. Sendo frugal na dieta, e com a palavra, o corpo e a mente educados na obediência, sente-se ele num

lugar solitário e pratique sempre a meditação, cultivando o desapaixonamento.

53. Finalmente, banindo de si o egoísmo, a resistência, o orgulho, o desejo, o rancor e o senso de posse, alcançará ele aquela paz que o capacitará a unificar-se com Deus.

54. Unificando-se com Deus, ele é sereno, nada mais o entristece, nem ele deseja; ama por igual todos os seres, e Me ama intensamente.

55. Com esse amor intenso, ele sabe claramente quem sou e o que sou. Conhecendo-Me claramente, com esse mesmo amor, ele penetra então em Mim.

56. Realize ele todas as ações refugiado em Mim, e não apenas o seu dever próprio, e por Minha graça alcançará a perfeição, eterna e imutável.

57. Dedica tu, em pensamento, todas as tuas ações a Mim, e perseverando nessa atitude, estarás sempre com tua mente fixa em Mim.

58. Com tua mente fixa em Mim, com Minha graça vencerás todos os obstáculos.

59. Se, confiando apenas em ti, pensares "não lutarei", e evitares a luta, vã será a tua determinação, pois tua natureza te lançará à luta.

60. Ó filho de Kuntī! O que por ilusão não desejares fazer, isso farás irremediavelmente, forçado pelos impulsos de tua própria natureza.

61. O Senhor Supremo como que atou todos os seres a uma roda girante de corpos, e habitando em seus corações, fá-los mover-se atraídos pelos objetos sensórios.

62. Portanto, obedece de coração ao conselho desse mesmo Senhor. Por Sua graça alcançarás a Paz Suprema e a mansão imperecível.

63. Assim te transmiti Eu o conhecimento, que é o mistério dos mistérios. Medita cuidadosamente nele e age como preferires.

64. Escuta de novo, e ouve Minha última palavra, referente ao maior de todos os mistérios. Por seres o meu muito amado, Eu te digo aquilo que te convém.

65. Fixa tua mente em Mim; sê Meu devoto; serve-Me; prostra-te diante de Mim, e desse modo chegarás até Mim. Esta é a pura verdade, Eu te declaro, pois és Meu muito amado.

66. Desiste de todas as obrigações religiosas, e toma-me como teu único refúgio. Eu te libertarei de todas as dificuldades. Não te aflijas.

67. Disto não digas nada no mundano, nem ao ímpio, nem ao que não quer ouvir, nem ao que Me maldiz.

68. Mas quem com sublime devoção divulgar este Segredo entre Meus devotos, chegará até Mim sem dúvida alguma.

69. Entre os homens ninguém poderá oferecer-Me serviço mais grato que esse, nem nenhum outro homem será tão amado por Mim na terra.

70. E quem meditar neste nosso Santo Colóquio, por meio dele me adorará com o sacrifício da Sabedoria[6]. Essa é a Minha vontade.

71. E também o homem que, cheio de fé, o escutar tão só sem malícia, alcançará, livre do mal, o esplendente mundo dos justos.

72. Ouviste-Me atentamente, ó filho de Prithā? Desvaneceu-se essa tua ilusão, filha da ignorância, ó Dhanamjaya?

Arjuna:

73. Desvanecida está a minha ilusão. Por Tua graça adquiri o conhecimento, ó imutável Senhor. Estou decidido. Dissiparam-se as minhas dúvidas. Agirei segundo Tua palavra.

Conclui *Samjaya*:

74. Assim ouvi esse maravilhoso Diálogo entre o Divino Krishna e o nobre Arjuna. E ao ouvi-lo, eriçavam-se-me os cabelos.

---

6   O *Jnāna-yajna* (Sacrifício da Sabedoria) é considerado superior a todos os demais atos sacrificiais, porque é o que conduz diretamente à libertação.

75. Por mercê de Vyāsa[7] conheci este mistério do Yoga, revelado pela palavra do próprio Krishna, o Senhor do Yoga.

76. Ó Rei, quanto mais recordo e me lembro desse maravilhoso e sagrado Diálogo entre Keshava e Arjuna, tanto mais me regozijo.

77. E quando recordo e me lembro daquela maravilhosíssima transfiguração de Hari[8], aniquilo-me de assombro, ó Rei, e outras tantas vezes me rejubilo.

78. Onde quer que esteja Krishna, o Senhor do Yoga, e onde quer que esteja Pārtha, o arqueiro, ali imperarão seguramente a grandeza, a prosperidade, a vitória, a felicidade e a justiça eterna.

Assim termina aqui, no Bhagavad-Gītā, a Essência dos Upanishads, que é a Ciência de Brahma e do Yoga, o maravilhoso Diálogo entre Sri Krishna e Arjuna.

PAZ A TODOS OS SERES

---

7 A Vyāsa Dvaipāyana são atribuídas a composição do *Bhagavad-Gītā* e a autoria do *Mahābhārata*. Foi um grande yogī, dotado de poderes sobrenaturais.

8 Um dos nomes de Vishnu e de Krishna.